Enrico Franceschini

ELISABETTA II
1926-2022

L'ultima grande regina

MONDADORI

⋀ mondadori.it

Elisabetta II. 1926-2022
di Enrico Franceschini
Collezione Le Scie

ISBN 978-88-04-76535-6

Pubblicato in accordo con MalaTesta Lit. Ag., Milano
© 2022 Mondadori Libri S.p.A., Milano
I edizione settembre 2022

INDICE

ELISABETTA II
1926-2022

Non posso condurvi in battaglia, non posso darvi leggi o amministrare la giustizia, ma posso fare qualcos'altro per voi, posso darvi il mio cuore.

ELISABETTA II, appena salita al trono

Sono la prima regina capace di guidare la macchina.

ELISABETTA II, una settantina d'anni dopo

Introduzione

PERCHÉ L'ULTIMA

Perché Elisabetta II è stata l'ultima, grande regina della storia? Innanzitutto, perché dopo di lei vengono tre re: il figlio Carlo, suo erede diretto, ora salito al trono con il nome di Carlo III, poi il nipote William e un giorno il pronipote George. Questo significa che sul trono del Regno Unito saliranno monarchi di sesso maschile per un altro secolo, un tempo così lungo da mettere Elisabetta definitivamente sul piedistallo come un monumento alle donne con la corona in testa. Impressione che lei stessa volle sottolineare, poco dopo la nascita del piccolo George, facendosi ritrarre su un divano accanto al primo, secondo e terzo in linea ereditaria.

Il messaggio era chiaro. Parafrasando la vecchia filastrocca «c'era una volta un re», ora possiamo dire che c'era una volta una regina e quindi al suo posto è venuta una dinastia di uomini. Ci fu un intervallo di quattro re fra Elisabetta e la regina precedente: Vittoria, pure lei una grande sovrana, tanto da dare il proprio nome all'epoca in cui ha vissuto, celebrata come era «vittoriana». Nemmeno Vittoria, tuttavia, è stata l'ultima di una specie tanto quanto Elisabetta.

La seconda ragione della sua eccezionalità è che nessun monarca ha regnato più a lungo, 70 anni, 7 mesi e 2 giorni, nella storia britannica. Nessuna testa coronata, nel mondo intero, è stata più longeva, a eccezione del Re Sole, Luigi XIV di Francia, che regnò per 72 anni e 110 giorni, dal 14 maggio 1643, quando aveva meno di cinque anni, fino alla morte nel 1715: ma erano altri tempi e in realtà re Luigi assunse il potere soltanto nel 1661, dopo la scomparsa della madre, che fino ad allora gli fece da reggente, mentre Elisabetta, diventata regina a 25 anni, ha retto lo scettro da sola sin dal primo momento. Difficile, improbabile, diciamo pure impossibile, che ai giorni nostri qualcuno superi il suo record. Carlo è diventato re a 73 anni, William ne avrà una sessantina quando sarà il suo turno, George probabilmente ne avrà più di 50 quando toccherà a lui.

Ma non è nemmeno la longevità a farle meritare l'appellativo: Elisabetta è stata «l'ultima» perché le circostanze l'hanno resa unica nel suo genere. È salita al trono in un'epoca in cui esistevano ancora gli imperi: il suo, per quanto in declino, era stato il più grande della storia, dall'India al Canada, dal Kenya all'Australia.

Veniva da un'era nella quale i sistemi monarchici rappresentavano la norma, non qualcosa di obsoleto, e i re o le regine possedevano, o almeno si sentivano intitolati a possedere, un potere divino: simboleggiato dall'olio santo con cui anche lei è stata «unta dal Signore», o meglio dall'arcivescovo di Canterbury, nel giorno dell'incoronazione. Apparteneva insomma, da questo punto di vista, al passato remoto del nostro mondo: e ciononostante, in virtù di un regno così lungo, ha attraversato la storia fino a raggiungere il presente, toccando con mano tutte le trasformazioni tecnologiche, dalla carrozza all'automobile, dalla radio alla televisione e poi al web e ai social media, oltre alle rivoluzioni politiche e sociali, dai mutandoni vittoriani alla minigonna.

Certo, il futuro si allunga in continuazione davanti a noi, offrendo innovazioni e mutamenti a ogni generazione: ma non potrà più esserci una regina che, arrivando da un passato così arcaico, riuscirà a adeguarsi a un presente in perenne trasformazione senza sembrare superata. Parafrasando *Il secolo breve*, il famoso saggio dello storico Eric Hobsbawm sul Novecento, quello di Elisabetta II è stato «il secolo lungo»: dagli albori del XX al terzo decennio del XXI, dalle carrozze a Twitter.

Per questo la sua scomparsa ha creato un'emozione e un cordoglio così profondi, non soltanto nel Regno Unito, dove era lecito aspettarselo, ma nel mondo intero: l'8 settembre 2022, il giorno in cui è spirata a 96 anni fra le mura del castello di Balmoral in Scozia dove trascorreva come ogni anno le vacanze estive, è come uno spartiacque fra il «prima» e il «dopo», chiude non solo una pagina o un capitolo di storia, ma un libro intero.

Il destino di essere stata l'ultimo monarca inglese di sesso femminile per almeno un altro secolo, il suo record di longevità sul trono e la circostanza di provenire da un tempo così lontano dalla vita odierna: sommando queste tre motivazioni si giunge a un'altra particolarità, qualcosa che ha interpretato come nessun'altra testa coronata ha saputo fare prima e come nessun'altra potrà fare dopo. Elisabetta II, infatti, non è stata soltanto la regina del Regno Unito di Gran Bretagna e Irlanda del Nord, denominazione completa della sua nazione, e nemmeno solamente il capo del Commonwealth, l'associazione che lega il Regno Unito a una sessantina di sue ex colonie, di una dozzina delle quali, fra cui Australia, Nuova Zelanda e Canada, lei è rimasta sino alla fine il capo di Stato. Quello era il suo ruolo formale, ufficiale. Ma ne impersonava anche uno simbolico: il ruolo di regina del mondo. Regina di britannici e stranieri; di convinti monarchici, che in verità oggi sul nostro pianeta sono una minoranza, e di repubblicani; di religiosi di ogni culto e di laici a oltranza; di uomini e donne, ricchi e poveri, vecchi e giovani, in una parola: di tutti. È rimasta al suo posto tanto a lungo, infatti, che ci siamo abituati a vederla come un punto di riferimento senza bisogno di essere suoi sudditi.

Il 90 per cento del successo, sostiene un noto detto, è farsi vedere. Ebbene, nel corso del suo regno sono sfilati sedici premier britannici, tredici presidenti degli Stati Uniti, sette pontefici e, per parlare di casa nostra, decine di presidenti del Consiglio italiani: ma mentre tutto passa, *panta rei* per dirla con gli antichi greci, lei era sempre lì, sul balcone di Buckingham Palace. Una presenza quasi rassicurante, come l'orologio del Big Ben che batte le ore. E proprio come un orologio, a cui si chiede in fondo soltanto la precisione, non è mai rimasta indietro, be', quasi mai: non limitandosi a farsi vedere, ma esibendosi con impegno, dignità e qualche volta un pizzico di humour inglese.

Nessun altro leader mondiale ha svolto un compito analogo, così bene, così a lungo: è questo, più di tutto, a renderla «l'ultima regina». Era come se, nel bilancio delle nostre giornate, tra i fatti pubblici e privati dell'umana esistenza, un angolino fosse riservato a Elisabetta: cos'ha fatto, dove è stata, cosa ha detto, sebbene generalmente non dicesse mai cose di grande importanza, perché doveva rimanere neutrale in tutto, il suo dovere era confortare, unire, esporre principi banali ma inamovibili, come l'amore per la famiglia, per il prossimo, per la patria. Vedevamo la sua foto su un giornale, un filmato in tivù, un post sui social, di solito una cerimonia, una curiosità, talvolta uno scandalo di corte, grande o piccolo. «Ah, già,» dicevamo «la regina Elisabetta»: come se si trattasse di un lontano parente, di un volto familiare.

Naturalmente «l'ultima regina» si potrebbe intendere anche come l'ultimo monarca in assoluto, maschio o femmina, prima di un ipotetico passaggio del Regno Unito al sistema repubblicano. *Elizabeth the Last*, Elisabetta l'Ultima, la battezzò il «Guardian», quotidiano fieramente antimonarchico, nel giorno del suo ottantesimo compleanno, prevedendo che dopo di lei non ci sarebbero stati altri re o regine in Gran Bretagna. Non succederà tanto presto, forse non succederà mai: ma dopo Elisabetta i sovrani britannici sembreranno come minimo più piccoli.

Beninteso, anche tra gli inglesi c'è chi non digerisce l'idea del potere ereditario. Per questo il leader laburista Tony Blair, quando era primo ministro nella seconda metà degli anni Novanta e nei primi anni Duemila, ha riformato la Camera dei Lord, ovvero la camera alta del Parlamento britannico, fino ad allora composta esclusivamente di baronetti che si passavano il seggio di padre in figlio (primogenito): adesso, su un migliaio di lord, soltanto un'ottantina hanno conservato questo antico privilegio di casta, tutti gli altri sono nominati lord a vita dal premier di turno, che li sceglie tra i più grandi intellettuali nazionali e, purtroppo, anche tra i più grandi finanziatori del proprio partito. Quando uno di loro muore, il premier ne nomina un altro: il posto non viene più occupato dal figlio, come avveniva in passato. E come ancora avviene per Sua Maestà britannica.

Il principio ereditario è antidemocratico, su questo non ci sono dubbi. Ma per la regina (o il re) d'Inghilterra si fa un'eccezione. Non tutti concordano: secondo i più recenti sondaggi, la monarchia ha il fermo sostegno del 60 per cento della popolazione, un leggero ma costante declino rispetto al 70-80 per cento di una generazione fa. Tra le giovani generazioni, il consenso per la monarchia è ancora più basso: fra chi ha meno di 35 anni è al 50 per cento, tra i minori di 24 anni va addirittura in minoranza, sotto il 50. In pratica, più uno è in là con gli anni, più apprezza il re o la regina. Più uno è giovane, viceversa, più trova tutta la faccenda della monarchia un po' buffa, per non dire ridicola, comunque sorpassata. L'opinione dei *royal watchers*, gli specialisti della casa reale, è che il consenso all'idea che il capo dello Stato debba essere una testa coronata scenderà ulteriormente ora che Elisabetta ha ceduto la corona a un erede, il primogenito Carlo, assai più controverso e generalmente fonte di minori simpatie. Anche in questo senso Elisabetta II è stata l'ultima: l'ultimo grande sovrano davvero apprezzato da una larga maggioranza della popolazione.

Il paradosso, per un personaggio così vicino, onnipresente e longevo, è che di lei crediamo di conoscere tutto e invece sappiamo relativamente poco, nonostante i fiumi di articoli di giornale, libri, documentari, film e telefilm, come si chiamavano una volta le serie televisive, sul suo conto. Il fatto è che, pur essendosi messe in mostra, la regina e la monarchia da lei rappresentata sono rimaste un mistero:

questa, secondo il grande costituzionalista inglese Walter Bagehot, è l'essenza del suo fascino, e guai a perforarla con troppe esternazioni. Infatti, non ha mai rilasciato un'intervista in oltre settant'anni di regno. Il motivo per cui è rimasta un personaggio misterioso, tuttavia, è più semplice di quanto affermi sir Walter, per non dire lapalissiano: il mistero dipende dal fatto che i comuni mortali vedevano la regina e tutto quanto le stava intorno dall'equivalente di un buco della serratura. Di qua c'eravamo noi: il resto del mondo. Origliavamo rumori, cercavamo di interpretarne il significato. Talvolta sentivamo una frase intera, e ce l'appuntavamo immediatamente. Piegandoci fino a porre l'occhio all'altezza della serratura, scorgevamo per un momento Sua Maestà: ma era come un'ombra, l'attimo dopo era già scomparsa. Da questi piccoli segni, un esercito di biografi, giornalisti ed esperti ha tratto per oltre sette decenni informazioni e riflessioni, aggiungendoci le voci, il gossip, le indiscrezioni, più o meno credibili, che trapelavano da chi la conosceva meglio o anche da chi la conosceva appena un po'.

Di Elisabetta II, in conclusione, abbiamo avuto soltanto un'idea approssimativa ed è dunque facile sbagliare perché lei non ha mai voluto raccontarci cosa ci fosse veramente dentro la sua testa e dentro il suo cuore. La regina Vittoria, perlomeno, teneva un diario, che fu pubblicato dopo la sua morte. Anche Elisabetta lo ha tenuto, ma ha avvertito che si trattava soltanto di brevi appunti e che, comunque, non ne avrebbe permesso la pubblicazione nemmeno postuma.

Anche questo, nell'era dei talk-show, dei selfie e di Instagram, fa di lei l'ultima di una specie, un oggetto raro che, nel personale mistero della sua esistenza, ci ricorda il generale mistero della condizione umana così straordinariamente evocato da William Shakespeare, poeta del tempo della regina sua omonima, Elisabetta I: «La vita non è che un'ombra che cammina, un povero commediante che si pavoneggia e si agita, sulla scena del mondo, per la sua ora, e poi non se ne parla più; una favola raccontata da un idiota, piena di rumore e di furore, che non significa nulla». La differenza rispetto ai comuni mortali è che l'ombra di Elisabetta II si è agitata sulla scena mondiale per più di settant'anni. E di lei si continuerà a parlare ben più a lungo della «sua ora». Perché verrà ricordata come l'ultima grande regina della storia.

Prologo

UNA CENA A BUCKINGHAM PALACE

Andare a cena a Buckingham Palace è un'esperienza fuori dall'ordinario. In effetti, non avrei mai immaginato che mi sarebbe capitato. La regina Elisabetta non ha mai incontrato formalmente i rappresentanti della carta stampata: suppongo che li detestasse, dopo tutto quello che i miei colleghi e io abbiamo scritto sugli scandali a palazzo reale. A un corrispondente da Londra poteva capitare di vederla dalla tribuna stampa del palazzo di Westminster, quando andava a inaugurare l'anno parlamentare leggendo il programma del suo governo, un programma in realtà preparato dal primo ministro, in cui Sua Maestà non aveva alcuna voce in capitolo. A un appassionato di cavalli poteva accadere di intravederla alle corse di Ascot, dove andava tutti gli anni, salute permettendo: un incontro ravvicinato, ma non troppo, perché appena scesa dalla carrozza veniva accompagnata a sedersi nel palco reale e per seguirne le mosse a quel punto occorreva un cannocchiale. Poi c'erano i Garden Parties, i picnic estivi nei giardini di Buckingham Palace: gli inviti sono a estrazione, mezza dozzina di membri della Foreign Press Association vengono così selezionati per partecipare ogni estate a questo ambito evento, insieme a rappresentanti di ogni settore della vita pubblica. Anche lì, tuttavia, la regina faceva un'apparizione fugace, la si seguiva da lontano, certamente non le si rivolgeva la parola e neppure le si stringeva la mano.

Com'è allora che sono finito a cena a casa sua? Non per merito mio, bensì grazie a Carlo Azeglio Ciampi, che nel 2005, quando era presidente della Repubblica, venne in visita di Stato in Gran Bretagna. Il cerimoniale divide le visite di capi di Stato e di governo stranieri in tre categorie: le visite di lavoro, in genere brevi, concentrate su una questione di attualità e senza molto spazio per i convenevoli; le visite ufficiali, un po' più lunghe, in cui l'ospite può essere invitato a prendere il tè dalla regina; e le visite di Stato, che sono un affare ben più complicato. Buckingham Palace ne organizza soltanto due all'anno, qualche volta di meno se sorgono ostacoli di qualche tipo. Poiché sulla terra ci sono circa duecento nazioni, e soltanto il Commonwealth, l'organizzazione che riunisce le ex colonie britanniche, ne conta una sessantina, si capisce che le visite di Stato a Londra di un leader italiano sono rare. In vent'anni che ho passato nella capitale inglese come corrispondente di «Repubblica», ho assistito soltanto a una: quella di Ciampi, per l'appunto.

La prassi, concetto guida di un paese come il Regno Unito che non ha una Costituzione scritta e si basa sulle abitudini per quasi tutto, vuole che una visita di Stato comprenda un grande banchetto a palazzo reale in onore del visitatore straniero. Vuole anche che al banchetto, tra centinaia di invitati, vi sia qualche rappresentante dei media del paese a cui appartiene il visitatore. I corrispondenti da Londra sono tanti. Il protocollo di Sua Maestà sceglie sulla base del prestigio della testata che rappresentano, sicuramente su consiglio dell'ambasciata britannica a Roma. È così che, insieme al corrispondente della Rai e a quelli di un paio di giornali concorrenti, ricevo dapprima una telefonata da Buckingham Palace per sapere se sono interessato; quindi giunge per posta un invito cartaceo, o meglio un libriccino di dodici pagine con tutte le istruzioni del caso, completato da una mappa del tavolo per la cena in cui è indicato dove dovrò sedermi. In sostanza, un manuale per le cene a palazzo reale per chi, come me, sta per entrare per la prima volta a contatto diretto con la sovrana.

«Banchetto di Stato in onore del Presidente della Repubblica italiana e della Signora Ciampi», è scritto in copertina. Più sotto: «Buckingham Palace» e la data, «martedì 15 marzo 2005». In alto, lo stemma reale del Regno Unito: tre leoni, o per l'esattezza tre leopardi, un unicorno, una giarrettiera, una rosa, un trifoglio, un cardo e la frase «*Dieu et mon droit*» (Dio e il mio diritto), per sottolineare che è un diritto divino ad avere messo sul trono il monarca. In francese, perché era la lingua dell'aristocrazia quando l'Europa era spartita tra case reali e tale è rimasta anche oggi a Londra: l'unica consolazione di Napoleone, sconfitto a Waterloo. In omaggio a Ciampi, al libretto è intrecciata una coccarda tricolore.

Lo apro e per prima cosa scopro come sarà la «processione reale», il corteo che guida gli invitati in sala da pranzo: davanti a tutti il nostro presidente e la regina, alle loro spalle il duca di Edimburgo (più noto come principe Filippo) e la signora Ciampi, quindi il principe Carlo (primo in linea per il trono) e la viscontessa di Hambleden, poi il duca di York (più noto come principe Andrea, terzogenito della regina e pecora nera della famiglia, ma all'epoca non ancora così nera come oggi) e Sua Eccellenza l'ambasciatore di San Marino, quindi l'onorevole Gianfranco Fini (l'allora ministro degli Esteri italiano, che accompagna sempre il presidente della Repubblica nei viaggi fuori confine) e la principessa Anna (secondogenita della regina), il duca di Gloucester (cugino della regina) e Cherie Blair (la first lady britannica), il prefetto Alberto Ruffo (un altro plenipotenziario al seguito di Ciampi) e la duchessa di Gloucester, il duca di Kent e la signora Fini, il principe Michael di Kent (un altro cugino di Sua Maestà) e la signora Aragona (moglie dell'ambasciatore italiano a Londra), il «dottor» Arrigo Levi (uno dei più grandi giornalisti italiani, in quei giorni portavoce del presidente Ciampi) e la principessa Michael di Kent (della quale riparlerò poco più avanti). Infine, a seguire, tutti gli altri.

Appreso chi mi precederà alla cena, giro la pagina e mi ritrovo davanti al menù. Dunque, se volete sapere «cosa» si mangia a Buckingham Palace, ecco qui, tutto rigorosamente in francese, Napoleone gradirebbe anche questo: «Consommé Hélène. Loup de Mer Poché Printanière. Selle d'Agneau Farcie aux Herbes. Carottes Chantenay et Fèves. Petites Courges Panachées. Pommes Nouvelles. Salade. Terrine de Chocolat et Vanille». Quindi «Les Vins»: La Ina, Fino; Puligny-Montrachet, 1er Cru Le Clavoillon; Domaine Leflaive 1998; Allegrini, La Poja 1999; Bollinger, Grande Année 1996; Fonseca 1970». Per farla breve: un brodino, frutti di mare, sella d'agnello alle erbe, carote, fave, zucchine, patate novelle, insalata, e per dolce una terrina di cioccolata e vaniglia. I vini non hanno bisogno di traduzioni, il penultimo è uno champagne, l'ultimo un porto, un bicchierino del quale chiude la cena. Sul «come» si mangia a palazzo reale, dico la mia: niente di speciale. Ma non è facile dare da mangiare a duecento persone. E l'ambiente fa comunque passare in second'ordine la gastronomia.

Qualcos'altro fa dimenticare o almeno allieta il cibo che abbiamo in bocca: il programma musicale, che trovo a pagina 3. Si parte con *Broadway Tonight* di Chase, seguono *Dance of the Hours* (Ponchielli), *English Dance N.1* (Quilter), *High Society* (Porter), *Intermezzo from Cavalleria Rusticana* (Mascagni), *Three Irish Scenes* (Naylor), *These Foolish Things* (Slaney), *Golden Tango* (Silvester), *Kohana* (Slaney), *March Militaire* (Schubert), *Swing of the Kilt* (Ewing), *Land of the Shamrock* (Charosin) e *Fiddler on the Roof* (Valando). Il tutto suonato dalla banda delle Irish Guards appollaiata su un balcone. E non è finita, perché, come nota pagina 3, per chiudere la serata c'è il «Pipe Programme», ossia il programma delle cornamuse: quattro brani, *Farewell to Oban, Maggie Cameron, Lexy MacAskill* e *Dovecote Park*, interpretati dai Royal Scots Dragoon Guards, in gonnellino kilt scozzese.

Le sette pagine successive sono occupate dall'elenco degli invitati. Dopo i succitati ospiti d'onore che aprono insieme alla regina la processione reale, gli altri sono divisi per categorie. Funzionari al seguito del presidente Ciampi, ospiti dell'ambasciata d'Italia, membri del corpo diplomatico (nessuno mi ha spiegato perché l'ambasciatore di San Marino avesse ricevuto un posto così d'onore nella processione e in sala da pranzo, ma il cerimoniale inglese ha tanti misteri), membri del governo britannico, incluso il primo ministro Tony Blair, membri della Casa Reale, invitati speciali. Tra questi ultimi, dopo l'arcivescovo di Canterbury, il capo della Corte suprema, il rettore di Oxford, il sindaco di Londra, il comandante in capo dell'Air Force, il capo di Scotland Yard, lo storico Denis Mack Smith, l'imprenditore Richard Branson, l'attore Colin Firth, il fantino Frankie Dettori, anche un buon numero di ospiti italiani, tra i quali il regista Franco Zeffirelli, la ballerina Carla Fracci, la stilista Wanda Ferragamo, il banchiere Giovanni Bazoli, lo scienziato Carlo Rubbia, l'industriale Vittorio Merloni. E poi quattro giornalisti italiani, me compreso. Sempre attento all'etichetta, Buckingham Palace ci aveva chiesto come volevamo essere descritti: due dei miei stimati colleghi hanno scelto «dottor», che in Inghilterra è un titolo riservato soltanto a chi ha un dottorato di ricerca (in Italia, invece, come è ben noto siamo tutti dottori), uno ha preferito l'americano «mister», io ho optato per «signor».

Infine c'è la mappa che si apre dall'ultima di copertina: una riproduzione del tavolo a forma di ferro di cavallo, con i nomi e la posizione di tutti i circa duecento invitati, in modo che ognuno sappia subito, quando entra in sala, dove andarsi a sedere. Il mio posto è contrassegnato da un punticino rosa. La regina è seduta al centro del ferro di cavallo tra Ciampi e suo marito Filippo. Di fianco a Filippo ci sono nell'ordine la signora Franca Ciampi, il principe Carlo e l'ambasciatore italiano Giancarlo Aragona. Dall'altro lato del tavolo, di fianco al presidente Ciampi, siedono la principessa Anna, il ministro degli Esteri Fini e il primo ministro Blair. Poi via via tutti gli altri in ordine di importanza, con i nomi dei reali in neretto. Il duca di York, ovvero il principe Andrea, è seduto accanto all'ambasciatore di San Marino: ancora lui a un posto d'onore! Il duca di Gloucester è accanto a Cherie Blair. La principessa Michael di Kent è accanto ad Arrigo Levi. Colin Firth, l'attore di *Bridget Jones* e in seguito di *Il discorso del re* (per il quale vincerà il premio Oscar), è vicino a un generale. Franco Zeffirelli è vicino a un lord. Carla Fracci vicino al ministro degli Esteri britannico Jack Straw. Io sono vicino a una gamba del ferro di cavallo, al terz'ultimo posto dalla fine del tavolo: ancora un po' e sarei seduto in cucina con gli sguatteri. Ma di fronte a me c'è la moglie di Dettori, il più grande fantino inglese: poiché la regina non ama niente come i cavalli, sono onorato della mia posizione. A dire la verità, sarei onorato anche se mi avessero messo a sedere in cucina. La mappa contiene due frecce, con la scritta a caratteri cubitali ENTRANCE ed EXIT: per fare capire da che lato si entra nella sala e da che lato si esce. Gente pratica, gli inglesi.

Ma prima di entrare e uscire da palazzo reale, ecco come ci si arriva. Nella lettera di invito con lo stemma dei Windsor che ho ricevuto a casa per posta, non c'è soltanto il manuale con le istruzioni per raggiungere un posto a tavola: il mio. Ci sono anche istruzioni su come vestirsi. Il cerimoniale per un banchetto di Stato prevede per gli uomini *white tie*, alla lettera cravatta bianca, l'abito che comunemente in italiano chiamiamo frac o pinguino. È possibile appuntare al frac «decorazioni», se uno ne ha, ovvero medaglie al valore e onorificenze. È prevista anche un'alternativa al frac: si può indossare il «costume nazionale». Ma non ho ottenuto onorificenze e non ho idea di quale sia il costume nazionale italiano, ammesso ce ne sia uno. Opto dunque per il *white tie*. Che però non possiedo: nell'armadio ho solo un vecchio smoking, come noi italiani chiamiamo il *black tie*, la cravatta nera, degli inglesi (se a un inglese dici che metterai lo smoking, pensa che vuoi fumare una sigaretta).

Sicché vado a noleggiare un frac per la serata: ci sono negozi a bizzeffe che ne affittano per occasioni formali, perché agli inglesi piace ogni tanto vestirsi in pompa magna, ma non tutti hanno ovviamente un *white tie* in guardaroba. Se non ne avete mai indossato uno, non potete capire perché è soprannominato «pinguino»: non solo assomigli a quel buffo animale, ma ti muovi anche più o meno con la stessa agilità. La faccenda non finisce qui, perché l'invito comprende un contrassegno da applicare al vetro dell'auto in modo da potere accedere a Buckingham Palace e un tagliando per consentire all'autista di ricevere un «cestino pasto» mentre attende il ritorno del suo passeggero. A me sembra la versione aggiornata degli avanzi gettati ai cocchieri mentre gli aristocratici festeggiano, in un'era precedente. Ma i due cartoncini, il contrassegno e il tagliando, fanno capire altre due cose. La prima: non si va a cena a Buckingham Palace a piedi, magari prendendo la Tube (ci sarebbe una stazione del metrò lì vicino). La seconda: non ci si va guidando da soli la propria auto, per non perdere tempo a parcheggiare all'interno di palazzo reale, suppongo. Così, oltre al frac, tocca prendere a noleggio anche un'auto con autista.

Pronto come Cenerentola per la cena più importante della mia vita, dico all'autista di venirmi a prendere a casa con largo anticipo: metti che ci sia del traffico, magari dei lavori in corso vicino a palazzo reale... Non vorrei arrivare tardi. Peggio ancora, non vorrei sbagliare ingresso, o non trovarlo. Insomma, non vorrei commettere qualche errore che mi impedisca di partecipare al banchetto, specie dopo tutti gli investimenti che ho fatto in capi di vestiario e mezzi di trasporto per andarci. Arrivare per ultimo a Buckingham Palace sarebbe una gaffe imperdonabile, anche agli occhi del mio giornale, che il giorno dopo si aspetta un resoconto della serata. Ma anche arrivarci per primo è una gaffe mica da ridere ed è proprio questo che mi capita: a forza di fare fretta all'autista, in una rara serata londinese senza ingorghi, quando arriviamo sul piazzale davanti a palazzo reale dove la polizia ha predisposto i controlli di sicurezza non ci sono altre automobili. Ci siamo solo noi. Verificati i documenti, aperto il bagaglio e controllata la vettura per essere certi che non nasconda una bomba, gli agenti ci fanno passare.

In un attimo l'autista mi deposita davanti alla scalinata che ho visto in tanti filmati sui premier e i dignitari stranieri in visita alla regina: pur appesantito dall'abito da pinguino, riesco ad arrivare in cima alle scale, preoccupato di ritrovarmi solo, in quanto primo ospite, con Sua Maestà. Ma è un'ingenua preoccupazione: la regina, con Filippo e i coniugi Ciampi, aspetta gli ospiti in una sala attigua, dove li intravedo mentre conversano amabilmente (avendo frequentato il mondo della finanza, il nostro presidente è stato uno dei pochi leader italiani in grado di parlare perfettamente l'inglese senza bisogno di interpreti). Di me si occupa uno stuolo di ciambellani di corte, ben addestrati a mettere a proprio agio gli ospiti e a fare quella che in inglese si definisce *small talk*, un'amabile chiacchiera in cui non si dice niente ma si fa passare il tempo. Il tempo passa, anzi vola, gli altri ospiti arrivano, il Lord Steward, Master of the House, picchia tre volte il bastone sul pavimento: è il momento di salutare la sovrana e andare a tavola. Anche per salutarla esistono le istruzioni: non le ha mandate per posta Buckingham Palace ma mi sono preparato da solo. Si porge la mano alla regina, chinando il capo (gli uomini) o piegando un ginocchio (le donne) in quella che sembra una riverenza, dicendo a bassa voce: «Madam» o l'abbreviazione «Ma'm». Così faccio, senza inciampare nel frac e senza finirle addosso: lei non risponde nulla, solo un impercettibile sorriso, lo stesso che riserva a tutti. Stretta di mano più vigorosa con il principe Filippo, «buonasera presidente» a Ciampi e signora, e mi avvio al mio posto in fondo al ferro di cavallo.

La cena fila via senza sorprese: la regina brinda a Ciampi e pronuncia un breve discorso sull'amicizia tra i due paesi, la banda suona gli inni nazionali, quindi prosegue con l'annunciato programma musicale, alla fine arrivano i dragoni scozzesi in kilt con le cornamuse. Dopo il dolce, un bicchierino di porto: penso che sia tutto finito, per cui mi avvio all'uscita, dalla porta indicata con la freccia EXIT nella mappa. Ma da lì non si ritorna nel salone di prima: finiamo in un'altra sala che, sento dire da ospiti più esperti di me, sarebbe il fumoir, dove gli uomini accendono il sigaro, qualcuno lo fa, e a tutti viene servito in piedi un caffè. Qui il caso mi porta a incontrare una principessa, per non dire a corteggiarla: nata baronessa Marie Christine Agnes

Hedwig Ida von Reibnitz, moglie di Michael, principe di Kent. Un'affascinante aristocratica di 60 anni, che vanta il record di donna più alta dell'intera Royal Family, a quota un metro e 83 centimetri di statura. Sui tacchi, stasera, è ancora più alta, svettando su tutti. La si potrebbe definire anche un'allegra comare di Windsor, parafrasando Shakespeare, per come è chiacchierata dai tabloid a causa di flirt veri o presunti alle spalle del marito, il quale apparentemente è interessato ad altro e la lascia fare: l'ultimo con un petroliere russo, di vent'anni più giovane di lei, con cui ha trascorso un romantico weekend a Venezia, dove l'hanno inseguita i paparazzi dei tabloid inglesi, fotografandola mentre la coppia si lasciava andare a effusioni in gondola.

Non sono l'unico attirato dalla gigantesca nobildonna: insieme a me, ad attaccare bottone con la principessa, c'è Mick Hucknall, il cantante dei Simply Red. Mick le racconta della villa con vigneto che ha comprato in Toscana, vicino a quella di Sting, immagino. Io mi presento per quello che sono, un giornalista, suscitando in lei una inaspettata curiosità. La principessa rivela di avere appena finito di scrivere un romanzo, una torrida love story ambientata all'interno della famiglia reale, e di essere in cerca di editori stranieri. Bluffando spudoratamente, affermo di avere stretti rapporti con le maggiori case editrici italiane, lasciando intendere che sarebbe un gioco da ragazzi procurarle un contratto, se avessimo occasione di riparlarne con calma e meno gente intorno, quando un cameriere in livrea interrompe la nostra conversazione mettendomi in mano una tazzina di caffè. Non appena il cameriere si allontana e mi rivolgo di nuovo ai miei due interlocutori, noto che il cantante e perfino la principessa indietreggiano, come intimoriti: non soltanto loro, anche tutti gli altri commensali nei paraggi fanno un passo indietro. Mi giro e alle mie spalle ci sono la regina Elisabetta e il principe Filippo.

«*Did you enjoy the evening, sir?*» chiede la sovrana con quella sua inconfondibile vocetta stridula, fissandomi come se fosse realmente interessata a saperlo. Se mi è piaciuta la serata? Mi è piaciuta da morire e mi sta piacendo sempre di più ogni minuto che passa, vorrei risponderle, ma mi limito a dire che è stata piacevole e interessante, riuscendo a non farmi cadere di mano la tazzina di caffè mentre lo dico. «È sembrata interessante anche a me» replica Sua Maestà, e passa all'ospite successivo alle mie spalle, che a questo punto è il primo ministro Blair. Non ci siamo detti granché, Elisabetta e io. Ma il breve scambio di convenevoli è sufficiente a chiarire che per la regina siamo tutti uguali: l'anonimo ospite italiano e il premier britannico, tant'è vero che ha rivolto la parola per primo a me.

«Abbiamo messo a dormire il presidente e signora» annuncia gioviale il principe Filippo, che all'epoca ha appena 84 anni e si sente un ragazzino pronto a fare le ore piccole. Domanda chi sono, quando apprende che in passato sono stato corrispondente da Mosca parte con le reminiscenze: «Io ci sono stato all'epoca di Brežnev, per accompagnare mia figlia alle Olimpiadi di Mosca del 1980, ci siamo divertiti un mondo». Non ho l'accortezza di chiedergli in che modo si sia tanto divertito, mentre la principessa Anna, provetta cavallerizza, gareggiava nell'equitazione, perché nel frattempo mi ritrovo davanti suo figlio, il principe Carlo, futuro re. «Sono appena tornato da un viaggio in Australia, Nuova Zelanda e isole Figi, non so più nemmeno che ore siano» scherza ironico. «Ah, l'Italia, le vostre città, Lucca, Siena, Volterra. Come fate a conservarle così bene? Mi ci portarono i marchesi Frescobaldi. E il vostro cibo? Sono stato in Piemonte per un convegno sullo slow food, ho conosciuto Carlo Petrini, vorrei portarlo a Londra per incoraggiare lo stesso movimento anche da noi.»

Solo a quel punto mi sovviene della principessa di Kent: ma per quanto cerchi in giro non la trovo più, e dire che con la sua altezza si dovrebbe notare. Non vedo più nemmeno Mick Hucknall, il cantante dei Simply Red: scomparso anche lui. Sarà una coincidenza? Ma le mie sono congetture maliziose. La principessa si sarà allontanata quando ha visto arrivare la regina perché non vanno molto d'accordo. Per dirne una, a lei piacciono i gatti, non per nulla ha qualcosa di felino, mentre la regina preferisce notoriamente i cani. Pare che a un ricevimento, anni addietro, la principessa si fosse lamentata perché uno dei cagnolini corgi della sovrana aveva morso uno dei suoi micetti. Ci saranno certamente altre ragioni per la loro antipatia reciproca. Forse il fatto che la principessa di Kent si vanta di avere nelle vene più sangue reale di ogni altro membro della famiglia, Elisabetta inclusa: tra i suoi antenati figurano Diane de Poitiers, amante di Enrico II di Francia, e Caterina de' Medici. Più verosimilmente, Elisabetta non la sopporta perché il padre della principessa, il barone von Reibnitz, fu un alto ufficiale delle SS tedesche durante la seconda guerra mondiale, particolare che potrebbe rammentare alla sovrana le proprie parentele imbarazzanti, tramite il marito Filippo, con la Germania nazista: ne riparleremo. Oppure non le ha perdonato che, dopo il divorzio dei genitori, andò a vivere per un po' in Australia con la madre, la quale aprì un centro di estetica a Canberra: lavoro poco consono a una futura principessa reale.

Come che sia, la serata volge al termine. I membri della famiglia reale si dileguano, i primi invitati cominciano ad andarsene e ritengo sia ora di filarmela anch'io. In cortile, l'autista mi aspetta insieme a un branco di colleghi che fumano appoggiati alle macchine: la nostra auto è meno vistosa, ma nessuno ci fa caso (questo è uno degli aspetti migliori dell'Inghilterra, una società più classista della nostra, ma più brava di noi a non farlo notare). Gli chiedo: «Com'era il cestino?». «Ottimi sandwich al pollo» risponde: non per nulla l'idea del panino l'hanno inventata loro sul finire del Settecento, quando il conte di Sandwich, per non interrompere una partita a carte, chiese ai servi di portargli un pezzo di carne fra due fette di pane, dando per sempre il suo nome a quel rapido snack. Mentre varchiamo il cancello di Buckingham Palace, controllo l'orologio: manca un minuto a mezzanotte. Appena in tempo, prima che la macchina si tramuti in una zucca e il mio autista in un topolino. Peccato che la favola sia già finita, proprio adesso che, chiuso dentro il frac, finalmente non mi sento più impacciato come un pinguino.

I

L'EREDE PER CASO

La notizia le viene comunicata da un valletto. In una famiglia normale, sarebbero certamente papà e mamma a dare a una figlia di appena 10 anni un annuncio del genere: ma la famiglia reale non è una famiglia come le altre. Elisabetta ascolta, comprende e corre a comunicarlo a Margaret, la sorella minore, che per quanto piccola dimostra già di avere un carattere più birichino. «Insomma, vuoi dire che sarai tu la prossima regina?» le chiede Margaret, andando subito al sodo. «Sì» risponde Elisabetta. «Poverina», è il caustico commento della sorella.

Deve essere un bello shock. Elisabetta non si aspetta di diventare l'erede al trono. Così come suo padre non si aspetta di salirci, sul trono. È il caso a trasformare le loro vite, sotto le sembianze di un amore impossibile che un sovrano ostinato decide di rendere possibile a ogni costo: compreso quello di rinunciare alla corona. Tutto cambia quel 10 dicembre 1936. Edoardo VII è diventato re appena dieci mesi prima, alla morte del padre Giorgio V. Ma si è innamorato di un'americana due volte divorziata, Wallis Simpson, e come capo della Chiesa anglicana, uno dei ruoli che comporta il suo status, non potrebbe sposarla. Allora decide di abdicare. Corsi e ricorsi della storia: la Chiesa anglicana era stata fondata dal suo predecessore Enrico VIII proprio per potersi risposare (di mogli, com'è noto, ne ebbe poi addirittura sei, alcune delle quali fecero una brutta fine). I perfidi tabloid definiscono Edoardo «l'unico monarca della storia che abbandona lo scettro per diventare il terzo marito di una sgualdrina di Baltimora». Non sarà l'unico amore difficile della sua dinastia, ma è il più carico di conseguenze. Al posto di Edoardo sale infatti al trono il fratello minore, con il nome di Giorgio VI, che avrebbe preferito continuare a essere chiamato Bertie, il suo diminutivo: un uomo timido, fragile e affetto da una forte balbuzie. «Non ho mai visto un documento governativo», è la prima reazione di Bertie quando apprende di essere diventato re. «Io sono soltanto un ufficiale di Marina,» piagnucola parlando con uno zio «non so altro.» Imparerà.

Anche Elisabetta deve imparare. Fino a quel giorno ha avuto un'esistenza relativamente spensierata. Relativamente, perché durante il regno di suo nonno Giorgio V è stata pur sempre la terza in linea per il trono, dopo lo zio e il padre: ma si presumeva che lo zio si sarebbe sposato e avrebbe avuto dei figli, facendola indietreggiare nella linea di successione. Da quel giorno del 1936, invece, Elisabetta è l'erede diretta al trono, o meglio l'erede presunta: se in seguito i suoi genitori avessero avuto un figlio, questi l'avrebbe sorpassata nella linea di successione, perché allora si dava la precedenza ai maschi. Una norma di diseguaglianza tra i sessi rimasta in vigore nel Regno Unito fino al 2015, quando una legge del Parlamento l'ha finalmente abolita. Adesso la corona va a chi nasce per primo, indifferentemente se maschio o femmina. Ma la mamma di Elisabetta, sebbene avesse soltanto 36 anni al momento dell'abdicazione di Edoardo, non aveva in programma altre gravidanze. Le donne, allora, facevano i figli quando erano molto più giovani.

Lilibet, il soprannome con cui la chiamano i genitori (è il modo in cui da piccola lei stessa pronuncia «Elizabeth») e che le resterà appiccicato tutta la vita, nasce alle 2.40 del mattino il 21 aprile 1926, con parto cesareo, nell'abitazione del nonno paterno: al 17 di Bruton Street, nel quartiere londinese di Mayfair. Oggi è il cuore chic della capitale: la palazzina in cui la futura regina emette i primi vagiti ospita adesso Hakkasan, un ristorante di cucina fusion cinese tra i più esclusivi della città. Ordinare una duck salad e brindare alla sovrana con un Lychee Martini è il mio consiglio a chi volesse provare l'ebbrezza di un lunch o dinner tra le mura in cui è venuta al mondo Elisabetta II. Quattro anni più tardi nasce sua sorella Margaret. Le due principessine non vanno a scuola: vengono educate a casa, come usa all'epoca per i membri della famiglia reale. Con un precettore studiano storia, francese, letteratura, musica e «bella calligrafia», che una volta era considerata una materia importante. Marion Crawford, la sua prima nanny, descrive anni dopo Elisabetta come «ordinata e responsabile». Winston Churchill, che la incontra quando ha appena 2 anni, rimane stupito dal suo carattere serio: «Ha un'aria autoritaria e riflessiva, stupefacente per una bambina di quella età».

Attributi che le sono molto utili quando a 10 anni, dopo l'abdicazione dello zio Edoardo, gli occhi dell'Inghilterra e dell'intero Impero britannico si puntano su di lei, consapevoli che un giorno diventerà regina. Il precettore viene sostituito dal rettore di Eton, il college alle porte di Londra noto come «la scuola dei re» (recentemente ci ha studiato uno che lo diventerà, William, il nipote di Elisabetta): non è lei ad andare in collegio, bensì il capo del collegio ad andare da lei, per insegnarle la Costituzione non scritta del Regno Unito, basata su tradizioni e precedenti legali. Nel frattempo ha cambiato casa, trasferendosi con la famiglia a Buckingham Palace, che è molto più di una casa: un palazzo di 775 stanze.

Apposta per la futura monarca viene creato un club di Girl Scout, formato esclusivamente da bambine dell'aristocrazia, in modo che, pur non frequentando una scuola, possa lo stesso avere occasione di socializzare: le ragazzine si ritrovano nei sedici ettari del giardino della reggia, quello a cui ancora oggi è vietato l'accesso al pubblico, delimitato da alte e spesse mura con in cima il filo spinato. Giocano a nascondino, osservano gli scoiattoli, accendono falò, sotto la stretta osservazione di bambinaie e guardie di scorta. I suoi più grandi divertimenti sono andare a cavallo e distrarsi con corgi gallesi, una razza di buffi cagnolini, bassi, tozzi e pelosi, a cui si era appassionato per primo il padre, che di generazione in generazione le faranno compagnia per sempre.

Elisabetta riceve un'educazione severa, come era la regola allora, in verità non soltanto tra i reali. Chiama il padre «signore» e la madre «signora». Passa più tempo con la servitù che con i genitori. Al di fuori della sorellina e delle Girl Scout non ha amiche. Le insegnano a non lamentarsi, non piangere, non fare storie, che è poi lo stoicismo tipico degli inglesi, lo *«stiff upper lip»*, stringi i denti diremmo noi, il *«keep calm and carry on»* del tempo di guerra, mantenere la calma e andare avanti. Regole che formano un carattere già predisposto di suo alla compostezza e alla serietà.

Intanto, per l'appunto, scoppia la guerra. In un primo tempo si pensa di trasferire le due sorelle in Canada, ma la regina madre si oppone: «Le bambine non se ne andranno senza di me. Io non me ne andrò senza il re. E il re non se ne andrà mai». Sottinteso: nonostante i bombardamenti, che durante il Blitz nazista danneggiano anche il palazzo reale. Per prudenza, Elisabetta e Margaret vengono mandate prima al castello di Balmoral, la residenza estiva della famiglia reale in Scozia, dove Elisabetta ne approfitta per sparare al suo primo cervo (la caccia è un'altra abitudine inveterata della royal family), quindi al castello di Windsor, entrambi giudicati più sicuri. Nel 1940, la quattordicenne principessa pronuncia il suo primo discorso alla radio: «Proviamo a fare tutto quello che possiamo per aiutare i nostri prodi marinai, soldati e aviatori» dice a una trasmissione per l'infanzia della BBC. «E anche noi più piccoli cerchiamo di fare la nostra parte per affrontare il pericolo e la tristezza della guerra. Sapendo che tutto andrà a finire bene.» Compostezza, altruismo e ottimismo, i cardini di ogni suo messaggio anche in futuro.

Fare la sua parte include l'arruolamento nel Servizio ausiliario territoriale, un corpo delle forze armate, con compiti di autista e meccanico: impara così a indossare l'uniforme, guidare un camion, cambiare una ruota o le candele, smontare un motore, sporcandosi le mani di grasso e facendo il saluto militare ai superiori. Il suo grado equivale a quello di capitano. Ha compiuto 18 anni quando la guerra finalmente finisce. Arriva il Victory Day, il giorno della Liberazione per l'Italia, che per gli inglesi è il giorno della sospirata vittoria, dopo il «sudore, lacrime e sangue» promessi da Churchill al suo popolo. Insieme al re, alla regina e al primo ministro Churchill, Elisabetta saluta la folla in festa dal balcone di Buckingham Palace, dove torna a vivere. È l'8 maggio 1945. Una data importantissima nella sua vita perché quella sera, per la prima volta, esce a piedi da palazzo reale, si mescola alla gente, gira per Londra: non lo aveva mai fatto. Certo, non è sola: con lei ci sono Margaret, una cugina e vari ufficiali di scorta. In tutto, un drappello di sedici persone, che parte come se fosse una spedizione in terre remote, rischiose e selvagge. Invece è semplicemente il primo e unico bagno di folla della futura sovrana, l'esperienza inebriante di ritrovarsi accanto a persone comuni, nelle strade dove scorre la vera esistenza. Piccadilly Circus, Pall Mall, Hyde Park. Cammina per chilometri, senza che nessuno la riconosca. Entra all'Hotel Ritz, beve un calice di champagne all'Hotel Dorchester. Torna a «casa», ovvero a palazzo reale, alle tre del mattino, in una capitale ancora piena di gente che vuole festeggiare. «Avevamo chiesto ai genitori se potessimo uscire e vedere con i nostri occhi cosa stava succedendo là fuori» ricorderà molto tempo dopo. «C'erano file e file di persone abbracciate che ballavano ebbre di gioia. E anche noi ci unimmo alle loro danze.» Una Cenerentola al contrario, la definirà qualcuno: che corona il sogno quando esce da palazzo reale, non quando ci entra.

Intanto Cenerentola conosce un principe azzurro. Bello, alto, di nobili origini, principe di Grecia per parte di padre e principe di Danimarca per parte di madre, Filippo avrebbe il pedigree per diventare il marito della futura regina, ma ha anche qualche difetto. Primo, non ha un soldo: il padre, morto d'infarto a Montecarlo dove conduceva una vita dissoluta, gli lascia in eredità soltanto qualche vestito, un pennello da barba, alcuni gemelli da camicia e un anello con il sigillo di famiglia che Filippo porterà sempre al dito. Secondo, ha una famiglia ingombrante. A parte il papà, che ha fatto una brutta fine, la madre per alcuni è pazza, per altri soltanto stravagante, comunque dopo un ricovero in ospedale psichiatrico si fa suora e scompare dalla scena pubblica e dalla vita del figlio per lungo tempo. Le sue tre sorelle sono ancora peggio: sposano aristocratici tedeschi che dopo l'ascesa al potere di Hitler diventano convinti nazisti. Terzo problema, Filippo non è inglese, pur servendo con la Marina britannica durante la seconda guerra mondiale: affronta tra l'altro la Marina italiana in una battaglia navale a Capo Matapan. Non sorprende che la regina madre, ovvero la madre di Elisabetta, inizialmente sia contraria al matrimonio con un uomo che in privato chiama «l'unno».

In realtà anche la famiglia reale ha sangue più tedesco che britannico nelle vene: il nome del casato era Sassonia-Coburgo-Gotha. Due re del Settecento, Giorgio I e Giorgio II, non parlavano nemmeno l'inglese. In piena prima guerra mondiale, per ovviare all'imbarazzante origine, Giorgio V (il nonno di Elisabetta) cambiò nome al casato scegliendo quello di Windsor, ispirato dal castello che è una delle residenze reali. Proprio per questo, come uno scheletro nell'armadio, Filippo suscita diffidenza. Ma siccome conquista tutti con il suo modo di fare, e soprattutto conquista Elisabetta, che è una giovane donna riservata ma pure molto determinata, e quando vuole una cosa è difficile farle cambiare idea, la richiesta della mano viene accettata.

La guerra è finita da appena due anni e il Regno Unito, pur avendola vinta, è alla fame, va avanti con le razioni: tanto è vero che alle prime elezioni postbelliche Churchill, l'eroe che ha sconfitto Hitler, viene battuto e mandato a casa. Se ne è andato anche lo zio di Elisabetta, il duca di Windsor, l'ex re Edoardo VIII, che aveva flirtato con il Führer, incontrandolo e dichiarando simpatie per il nazismo: chissà come sarebbe finita la seconda guerra mondiale, se sul trono ci fosse rimasto lui. Per fortuna dell'Europa, aveva perso la testa per Wallis Simpson, ma di cervello non ne aveva molto. Emigra in Francia con l'amata Wallis, ricostruendo una propria corte da quel lato della Manica.

Quasi esattamente un anno dopo la cerimonia di matrimonio, il 14 novembre 1948, Elisabetta tiene fede al primo compito che le si chiede, mettere al mondo un erede: Carlo. Passano altri due anni e nasce una sorellina, Anna, il «pezzo di ricambio» dinastico, come si dice in gergo, un secondo erede nel caso sfortunato in cui si rompa il primo. La famigliola si è stabilita a Clarence House, una specie di castelletto a metà strada fra Piccadilly e Buckingham Palace, dove marito e moglie dormono separati, in camere adiacenti, collegate da una porta: usi e costumi dell'aristocrazia, possono farsi visita quando ne hanno voglia, ma quando chiudono gli occhi preferiscono essere soli, ciascuno con il proprio bagno, il proprio guardaroba, i propri valletti.

Ricevuto il titolo di duca di Edimburgo, Filippo per un po' continua la carriera militare in Marina, sua grande passione: viene assegnato a Malta, all'epoca ancora una colonia britannica e un'importante base navale nel Mediterraneo per il paese che fino a non molto tempo prima, secondo una celebre canzone patriottica, *rules the waves*, domina le onde con la sua potente Marina militare. Senza pensarci due volte, Elisabetta lo raggiunge sulla piccola isola a sud della Sicilia, lasciando i figli a Londra con la nonna. Non li vede per mesi.

Una scelta che suona strana, per non dire orribile, agli occhi di noi contemporanei, ma per la famiglia reale anche questa, come le camere divise di marito e moglie, è la norma dell'epoca: i figli fanno vita separata dai genitori, era stato sempre così, anche Elisabetta era rimasta per lunghi periodi lontana dai propri. Altri tempi, in cui i padri erano figure distanti che si occupavano poco dei figli anche nelle famiglie del ceto medio. Tra la nobiltà, le madri li affidavano alle nanny e li vedevano per lo più soltanto in occasioni speciali, e più la nobiltà era alta, meno li vedevano.

Così l'erede al trono parte per Malta appena sei giorni

dopo che il suo primogenito Carlo ha compiuto un anno di vita. (Con Anna, Elisabetta partirà ancora prima, dopo averla allattata per pochi mesi.) Certo la lontananza non contribuisce a rapporti affettuosi: quando la coppia rientra in Inghilterra, Elisabetta saluta prima la madre, abbracciandola, poi dà solo un bacetto al figlio e passa oltre. L'apparente freddezza nel rivedere il suo primogenito dopo mesi di assenza viene notata perfino dal cinegiornale: «Per l'erede al trono viene prima di tutto il dovere. L'affetto materno deve aspettare l'intimità di Clarence House». Filippo, cresciuto da solo e abituato al rigore, dà a Carlo appena una spintarella per indirizzarlo verso la limousine che li aspetta. Piccoli episodi che, con il senno di poi, spiegano la freddezza che ci sarà tra loro da adulti: perfino un malcelato disprezzo da parte del padre verso il figlio. «Carlo è un romantico,» dirà Filippo, che nel suo linguaggio è l'equivalente di mollaccione, «io sono un pragmatico.»

Una madre anaffettiva? Sembra questa la sua indole. Ma come ha notato il reporter del cinegiornale, per Elisabetta, ancora prima degli affetti, viene il senso del dovere, una cappa scesa su di lei come se inviata dal cielo nel momento in cui il caso o destino che dir si voglia l'ha portata a essere la futura regina. Proprio perché è stata scelta dal destino in così giovane età, per lei il dovere viene innanzi a tutto. Lo si vede anche nel primo viaggio ufficiale all'estero nei panni di erede al trono, in Africa, pochi mesi prima di sposarsi, durante il quale pronuncia una solenne promessa all'intero Commonwealth britannico, in pratica all'Impero che un giorno avrebbe ereditato: «Dichiaro di fronte a tutti voi che tutta la mia vita, lunga o corta che sia, sarà dedicata al vostro e al servizio della grande famiglia imperiale di cui facciamo tutti parte».

In Africa sta per tornare, insieme a Filippo. Senza immaginare che proprio lì, in Africa, sta per cominciare la sua nuova vita.

II

LA PRINCIPESSA SULL'ALBERO

Come in una favola, quando una giovane donna si arrampica su un albero è una principessa, ma quando ne ridiscende è diventata a sua insaputa una regina. L'albero è un enorme fico. Il fico è in Africa, per la precisione in Kenya, all'epoca una colonia britannica. Dovrebbe essere l'inizio di un lungo viaggio nelle nazioni del Commonwealth per l'erede al trono e per suo marito: Australia, Nuova Zelanda e Ceylon (l'odierna Sri Lanka) le altre tappe in programma. A compierlo era chiamato Giorgio VI con la regina madre, ma negli ultimi mesi la salute del re è peggiorata e i medici gli hanno sconsigliato di sottoporsi a un simile sforzo. L'anno precedente, al sovrano, accanito fumatore, è stato diagnosticato un tumore e i chirurghi gli hanno dovuto asportare un polmone. La notizia non viene resa pubblica, ma Elisabetta comincia a sostituirlo in cerimonie e funzioni pubbliche. Per quanto il re dia l'impressione di essersi ripreso, il lungo viaggio nei possedimenti o ex possedimenti dell'Impero, programmato da tempo, viene escluso dai sanitari: sicché al suo posto va la figlia.

Il Kenya non è inizialmente previsto nell'itinerario, anche perché comporta qualche rischio: l'anno prima è scoppiata la rivolta dei Mau-Mau, un'insurrezione indipendentista condotta dalle tribù locali contro il colonialismo britannico. Ne risulta una guerra che durerà fino al 1956, con una feroce repressione da parte di Londra che provocherà almeno 25.000 morti. Ma la coppia lo vuole aggiungere al tour: l'autorità coloniale ha offerto come dono di nozze un soggiorno speciale a Sagana Lodge, in uno splendido parco nazionale, ed entrambi desiderano passarci qualche giorno. Il clou della vacanza, perché di questo si tratta prima dei compiti istituzionali negli altri paesi, è una notte al Treetops Hotel, una capanna di tre stanze costruita su un albero di fico. Elisabetta ha portato con sé una macchina fotografica e una cinepresa, due passioni che coltiva fin da ragazzina: dall'alto del possente albero può filmare elefanti, rinoceronti, giraffe, gazzelle, che passano vicinissimi sotto di loro per andare ad abbeverarsi al vicino fiume. Quando cala il tramonto, nella capanna viene servita una cena in onore suo e di Filippo: a fare da padrone di casa c'è il capo della Corte suprema del Kenya. Estasiata, la giovane principessa quasi non chiude occhio per tutta la notte: a un certo punto vede passare sopra la sua testa un'aquila bianca, che sembra voler scendere verso di lei e poi si allontana. Se fosse superstiziosa, lo interpreterebbe come un magico annuncio di quel che sta per accadere.

Il mattino seguente la coppia scende dal rifugio in cima al fico e raggiunge il Sagana Lodge, dove devono alloggiare per il resto della permanenza in Kenya. Nel pomeriggio, il segretario personale di Filippo riceve una telefonata dal segretario personale di Elisabetta, che risiede nel vicino, più grande Hotel Outspan: quest'ultimo ha appena appreso da Londra che alle prime ore del mattino del 6 febbraio Giorgio VI ha cessato di vivere. Il re è morto nel sonno, per una trombosi coronarica, dopo una giornata in cui non aveva dato segni di stare male. Sebbene la sua salute suscitasse preoccupazioni e comportasse precauzioni, nessuno a corte, nel Regno Unito e nel Commonwealth britannico si aspettava di vedere scomparire così presto un sovrano di appena 56 anni. Tocca a Filippo dare la drammatica notizia alla moglie, che sta riposando in camera dal tragitto in jeep del mattino. La prende alla lontana, invitandola a una passeggiata lungo il fiume che passa lì accanto. Ma non resiste: appena sono soli, in giardino, glielo dice. La passeggiata sul fiume serve ad assorbire la notizia. In linea con il carattere di cui ha già dato prova e che esibirà per il resto della vita, lei non versa una lacrima. Non è freddezza d'animo, bensì ancora una volta senso del dovere e del destino: sente che la prova è arrivata e dal primo momento non vuole deludere, innanzi tutto sé stessa. Quando sia venuto esattamente il momento, è chiaro: verso le due del mattino, mentre il re esala l'ultimo respiro, anche se all'epoca non c'erano smartphone e perfino i telefoni scarseggiavano, particolarmente in Africa, per cui c'è voluto del tempo per comunicare la notizia a uno sperduto rifugio in un parco nazionale. Un esploratore e naturalista inglese che ha accompagnato Elisabetta durante tutta l'escursione in Kenya, Jim Corbett, famoso per avere cacciato tigri «mangiatrici di uomini» in India, annota nel libro per i visitatori del Sagana Lodge: «Per la prima volta nella storia del mondo, un giorno una principessa è salita su un albero e il giorno dopo ne è ridiscesa da regina. Che Dio la benedica». Anche Corbett non ha dormito un minuto, nella notte dell'ascensione al trono di Elisabetta: con il calar delle tenebre sull'albero si arrampicano i leopardi e il cacciatore è rimasto di guardia con il fucile in braccio. Pensava di proteggere una principessa. Ora si rende conto di avere protetto una regina.

Il primo ordine della neosovrana è che devono tornare immediatamente a casa. Viene organizzato un volo. Un Dakota C47, aereo militare da trasporto a elica in dotazione all'Air Force britannica, viene a prenderli in una pista in terra adiacente alla riserva naturale. Elisabetta accenna un sorriso alla ristretta folla di dignitari che la saluta. Giunti ad alta quota, si alza dal suo posto per andare alla toilette. Quando ritorna al suo posto, agli altri passeggeri sembra ovvio che ha pianto: ma se è stato davvero così, l'ha fatto da sola, mentre nessuno poteva vederla, con grande dignità.

Il volo dura diciannove ore. Ad accoglierla all'aeroporto di Londra c'è una delegazione ufficiale di membri della famiglia reale e del governo. In testa a tutti, Churchill, il vincitore della guerra contro il nazismo, sorprendentemente sconfitto nelle elezioni del luglio 1945 per lo scontento provocato dai razionamenti di cibo e generi di prima necessità, ma rieletto nel 1951. È dunque lui, destinato a diventare nell'immaginario collettivo l'eroe britannico più popolare di tutti i tempi, a dare il benvenuto a Elisabetta, con la bombetta in mano, porgendole allo stesso tempo le condoglianze per la morte del padre e le felicitazioni per l'ascesa al trono.

Elisabetta II è il quarantesimo monarca dai tempi di Guglielmo il Conquistatore, primo re d'Inghilterra, salito al trono nel 1066, data fatidica nella storia della sua nazione, coincidente con la battaglia di Hastings. Ci sono state altre regine prima di lei, inclusa una sua omonima, Elisabetta I, che ha dato il proprio nome all'era del suo regno, dal 1558 al 1603, in seguito chiamata «elisabettiana», una fase di intenso sviluppo economico e culturale, contrassegnata dal teatro di William Shakespeare e da una tipica architettura, come le case con il tetto di paglia, la facciata bianca e le travi di legno di cui si notano ancora oggi esempi in tutta l'Inghilterra. Ma nel momento in cui diventa regina, mentre si trova in cima all'albero di fico in Africa per essere precisi, Elisabetta II ha soltanto 25 anni: ritrovarsi sovrana di un paese ancora segnato dalla guerra e di un vasto Impero che sta tuttavia crollando (l'India ha ottenuto l'indipendenza nel 1947) è un'impresa che suscita in lei non poche preoccupazioni.

È vero che il re o la regina, come capo di Stato, è privo di effettivi poteri: ne ha meno del presidente della Repubblica in Italia, il suo è un ruolo fortemente simbolico e cerimoniale. Ma la nazione si identifica nel monarca. Molti si domandano se la giovanetta sbarcata dall'aeroplano sarà all'altezza del compito. Ha esibito sicurezza, quando le hanno chiesto come si farà chiamare: «Con il mio nome, ovvio, come altrimenti?». In teoria avrebbe potuto sceglierne uno diverso da quello di battesimo, come è accaduto spesso nella storia britannica, ma non ha avuto dubbi, non ci ha pensato due volte, un po' perché le piace Elisabetta, Elizabeth in inglese, un po' per il richiamo a Elisabetta I, grande sovrana di quattrocento anni prima. Churchill si augura che dimostri altrettanta fermezza nelle prove che la attendono. Quando giura poco dopo l'arrivo davanti al Consiglio dell'Ascensione (sottinteso: al trono), fa subito una buona impressione: «La morte improvvisa del mio adorato padre mi impone di assumere gli obblighi e le responsabilità del potere sovrano» dichiara con voce ferma e sicura. «Con il cuore gonfio di emozione, oggi posso solo dirvi che lavorerò costantemente, come ha fatto mio padre durante il suo regno, per favorire la felicità e la prosperità del mio popolo, sparso in tutto il mondo. Prego Dio che mi aiuti a svolgere degnamente il difficile compito che grava su di me in così giovane età.» Beninteso, non è un discorso che ha scritto di suo pugno: è opera dello staff di palazzo reale, con la supervisione di Downing Street. Ma Elisabetta lo ha approvato e poi lo ha pronunciato con la sicurezza richiesta per la parte. Il suo regno inizia con il piede giusto.

Altre decisioni incombono: non questioni di Stato, perché come già detto la sovrana non ha veri poteri, eppure egualmente complesse dal suo punto di vista. Stabilito il proprio nome, ora che è regina diventa più importante il cognome: decidere come si chiamerà il resto della famiglia, in particolare i due figli che le sono già nati, il primo dei quali destinato a sua volta a diventare re. Filippo vorrebbe che portassero il suo, di cognome, ossia Mountbatten: ma a parte che è l'anglicizzazione del tedesco Battenberg, anche lui alla nascita aveva soltanto un nome, senza cognome, come usa per le famiglie reali. Dopo lunghi conciliaboli, Elisabetta propende per mantenere quello del casato, cioè Windsor. «Sono l'unico uomo di questo paese a cui non è permesso dare il proprio cognome ai figli» si lamenta suo marito, non prendendola per niente bene: la questione minaccia di mandare in crisi il matrimonio. Soltanto anni dopo, nel 1960, la regina escogita un compromesso, dando a Filippo e ai figli maschi il cognome di Mountbatten-Windsor.

Un'altra decisione difficile dei suoi primi anni di regno riguarda la sorella Margaret, che le comunica di volersi sposare con Peter Townsend, un ex ufficiale dell'Air Force e «scudiero» di Giorgio VI (questo il titolo ufficiale delle sue mansioni: di fatto era un attendente di stretta fiducia del re), che ha sedici anni più di lei, e questo non sarebbe un problema, ed è divorziato e padre di due figli, e questo lo sarebbe eccome. La Chiesa d'Inghilterra non permetteva di risposarsi con rito religioso dopo il divorzio. Margaret potrebbe optare per un matrimonio civile, ma in tal caso dovrebbe rinunciare al suo diritto di successione al trono: poiché sarebbe lei, se la regina e poi i suoi figli morissero, a ricevere la corona e con essa anche il ruolo di capo della Chiesa anglicana. A differenza dello zio Edoardo, che aveva perfino abdicato dal trono per amore, una rinuncia simile a Margaret non va, forse perché, pur essendo la sorella minore, sotto sotto pensa di avere un carattere più adatto di Elisabetta a fare la regina: certamente più imperioso e capriccioso, chissà quanti guai avrebbe combinato.

In ogni caso, Elisabetta chiede prima alla sorella di aspettare un anno, poi fa in modo di allontanare Townsend da Londra, infine va per le spicce e, come il manzoniano Don Rodrigo, dice a Margaret che quel matrimonio non s'ha da fare. Dopo avere fatto arrabbiare il marito con la faccenda del cognome, fa arrabbiare così anche la sorella con la questione delle nozze: ma in entrambi i casi sente di agire per dovere, nel tentativo di fare la cosa giusta, secondo tradizione e buon senso. E a guidarla con discrezione, in entrambi i casi, dietro le quinte di palazzo reale c'è Churchill. Il rapporto che si crea fra il primo ministro e la regina diventa importante come un rapporto padre-figlia: si può dire che nessun altro nella lunga vita di Elisabetta, al di fuori del marito Filippo, avrà mai l'influenza, il credito e l'affetto reciproco che stringe con Churchill.

Nato nel 1874 da una famiglia aristocratica, Winston si è distinto in tutto quello che ha fatto: come ufficiale di cavalleria nella guerra in India e in Sudan, come giornalista e scrittore, al punto da vincere con le sue memorie il premio Nobel per la Letteratura, come pittore, come oratore capace di emozionare («combatteremo sui mari e gli oceani, combatteremo sulle spiagge, combatteremo nelle strade, non ci arrenderemo mai») e di pungere con l'ironia (a una dama che gli disse pubblicamente «se lei fosse mio marito, le metterei l'arsenico nel caffè», rispose senza batter ciglio: «se lei fosse mia moglie, lo berrei»), e naturalmente come statista in guerra e in pace. I loro incontri settimanali a tu per tu a Buckingham Palace, destinati a durare trenta minuti, a volte si prolungano fino a due ore: sono lezioni di storia e di politica per la regina, ma anche il premier sente il fascino di quella giovane monarca, che di mese in mese gli sembra più convincente.

Poco per volta, la relazione ufficiale si trasforma in sincera amicizia tra un uomo di 70 anni e una donna che potrebbe essere sua nipote. Quando al termine del secondo mandato da premier Churchill si ritira, nel 1955, Elisabetta rompe il protocollo scrivendogli di suo pugno una lettera: «Nessun altro primo ministro potrà mai avere per me il posto occupato dal primo, al quale devo così tanto e per la cui saggia guida nei primi anni del mio regno sarò sempre profondamente grata». Tenuto conto che la regina non si lascia mai andare a smancerie, nemmeno con i propri familiari, e si sforza di minimizzare tutto, in omaggio all'*understatement* – quel sentimento così inglese che nulla definisce meglio del suo esatto contrario, il melodramma di cui siamo maestri noi italiani –, sono parole di enorme trasporto. Quando Churchill muore, nel 1965, Elisabetta viola di nuovo il protocollo, due volte: ordinando un funerale di Stato e arrivando alle esequie non per ultima, come l'etichetta vuole per la regina, bensì per prima, precedendo perfino la famiglia di sir Winston.

Con nessun altro premier avrà lo stesso rapporto. Harold Wilson la incuriosisce, perché è il primo laburista del suo regno a occupare Downing Street, nel 1964: per quei tempi è come se al governo fosse arrivato un comunista, un proletario rivoluzionario, sebbene Wilson fosse un ex docente di Oxford e con la sua immancabile pipa avesse un'aria sempre composta e professionale. Con le donne diventate premier, Margaret Thatcher, Theresa May e Liz Truss, Elisabetta non va tanto d'accordo: non si tratta di rivalità femminile, bensì di differenza di carattere. La «lady di ferro» è troppo dura per i suoi gusti: la sua privatizzazione dell'economia genera tali tensioni in Gran Bretagna da turbare Sua Maestà. Theresa May le appare fredda e divisiva sulla questione della Brexit, mentre l'intento della regina, pur rimanendo sempre neutrale, è quello di unire, fare coesistere, risolvere i problemi pacificamente, senza contrapposizioni feroci. Liz Truss arriva al potere nel 2022, dopo il caotico periodo della Brexit e della pandemia, un po' per caso, a causa delle dimissioni di Boris Johnson travolto dagli scandali: alla regina deve sembrare quasi un'intrusa, comunque non ha il tempo di conoscerla davvero perché muore due giorni dopo averla ricevuta per il giuramento di rito dell'insediamento. Ma da ogni premier Elisabetta impara qualcosa, e tutti i primi ministri diranno di avere apprezzato il suo equilibrio e i suoi consigli, nell'incontro settimanale a porte chiuse con la sovrana, a cui nessun altro è presente e su cui mai nulla trapela: una delle abitudini su cui si assesta la sua nuova vita a corte.

Ci sono altri cambiamenti. Adesso che è regina, Elisabetta deve traslocare con marito e figli a Buckingham Palace. Una casa di 775 stanze, con 10 ettari di giardino e uno staff di 400 persone, fra domestici, cuochi, camerieri, giardinieri, autisti, elettricisti, idraulici, valletti e dame di compagnia. Due orologiai si occupano di fare marciare a tempo i 300 orologi di palazzo reale. Ci sono 52 camere da letto per la famiglia reale e i suoi ospiti, più 188 camere da letto per la servitù, 78 bagni, un cinema, una piscina, un ufficio postale e perfino una stazione di polizia. Buckingham Palace non è sempre stato la casa del monarca britannico: il primo ad abitarci fu la regina Vittoria nel 1837. E non è solamente la residenza del sovrano, è pure il suo ufficio: una casa-e-bottega, per dirlo in parole semplici. Vi fanno la guardia cinque reggimenti di militari in giubba rossa e

colbacco di pelo d'orso: il cambio della guardia che eseguo-
no nel cortile esterno della reggia, generalmente ogni mattina alle 11 in punto, è un avvenimento che attira migliaia
di curiosi davanti ai cancelli e una delle attrazioni turisti-
che più seguite di Londra.

Insediata a palazzo reale, Elisabetta stabilisce una routine
che rimane invariata per tutto il suo regno. Sveglia alle 7.30
del mattino, quando una governante apre le tende della sua
camera da letto al primo piano. Un valletto porta un vas-
soio con una tazza di tè Earl Grey e dei biscotti. Un altro
va ad aprire la porta della camera accanto, in cui dormono
mezza dozzina di corgi, i suoi adorati cagnolini, non per
terra o in una cuccia, bensì ciascuno in una cesta di vimi-
ni, dopo che un altro domestico li ha già accompagnati in
giardino per i loro bisogni. Salutati i cani, la regina si ritira
a fare il bagno, si veste e si reca a fare colazione con Filippo
nella loro sala da pranzo privata.

Sul tavolo ci sono i giornali: il «Racing Post» in testa a tutti,
il quotidiano delle corse dei cavalli, poi il «Daily Telegraph»,
il foglio filoconservatore più rispettoso verso la casa reale,
quindi il «Times», un tempo la più importante testata del
mondo, ancora oggi un quotidiano di qualità, di orienta-
mento centrista moderato, infine il «Financial Times» per le
notizie economiche e da ultimi i tabloid che le danno tanti
dispiaceri: il «Daily Mail» (conservatore), il «Daily Mirror»
(laburista), il «Daily Express» (conservatore). Non sembra
che la mazzetta includa anche il «Sun», il più spregiudica-
to dei quotidiani scandalistici, anch'esso conservatore ma
capace di sparare notizie sgradite alla monarchia e palese-
mente false, come quando titola *Queen backs Brexit*, la regina appoggia la Brexit, una clamorosa intrusione negli affari di Stato, se fosse stata vera, in realtà basata su fonti e
indiscrezioni del tutto inattendibili. Non risulta nemmeno
che Sua Maestà legga il «Guardian», forse il più autorevo-
le quotidiano britannico generalista, non tanto perché è fi-
lolaburista ma perché è dichiaratamente antimonarchico:
perché farsi del male già di primo mattino?

Alle 10 la regina è alla scrivania del suo studio con il segretario personale e uno o due vicesegretari. Ci sono documenti da firmare: non ha il potere di legiferare, ma ogni legge deve essere esaminata dal capo di Stato. I documenti ufficiali le vengono recapitati in una valigetta ventiquattrore di pelle rossa, colore tipico per lo Stato britannico: ne riceve una ogni mattina anche il primo ministro e una il cancelliere dello Scacchiere, come si chiama in Gran Bretagna il ministro delle Finanze. Ci sono nomine da approvare, titoli da distribuire, lettere a cui rispondere, anche di privati cittadini: ne arrivano a migliaia, naturalmente vengono passate al vaglio da appositi funzionari e solo una selezione raggiunge la sovrana, così come non è lei a rispondere, tranne in casi eccezionali, ma tutto le viene riportato. E ci sono occasionalmente udienze pubbliche o private, il primo ministro (ogni martedì) e gli ambasciatori stranieri da ricevere, le telefonate ai figli e ad altri parenti, ma solo se c'è qualcosa di importante da dire, non è che si sentano tutti i giorni.

Alle ore 13 vede Filippo per un pranzo leggero, preceduto da un bicchiere di gin e Dubonnet per la regina, con ghiaccio e limone: Elisabetta appartiene a una generazione abituata a bere regolarmente alcolici e, pur senza mai esagerare, ha mantenuto questa abitudine fino a quando non gliel'hanno proibita i medici dopo i 95 anni. Quindi un sonnellino. Al risveglio, una lunga passeggiata in giardino con i suoi cagnolini. Poi ha un po' di tempo per sé, seguito dall'immancabile tè delle cinque con piccoli sandwich e tramezzini di uova e cetrioli, scones e biscotti. È il momento in cui incontra brevemente i figli, affidati per il resto alle bambinaie e agli istitutori. Prima di cena, Elisabetta beve un Martini. Se non ha impegni ufficiali, mangia di nuovo insieme a Filippo, poi si ritirano a guardare insieme la televisione o a leggere.

È una tabella di marcia perfetta, inframmezzata dal trasferimento al castello di Windsor nel weekend, la sua residenza preferita, anche perché ospita le stalle con i suoi amati cavalli; a Sandringham, nella contea di Norfolk, per un paio di settimane attorno al Natale; a Balmoral, in Scozia, per un paio di mesi in estate. Ed è una macchina che procede senza intoppi, perfettamente guidata dai suoi cortigiani: ogni momento della giornata previsto e scandito da ordini, che si ripetono uguali, giorno dopo giorno, anno dopo anno, e da riti talvolta meno sfarzosi di quanto si possa immaginare. Come rivela nel 2003 lo scoop di Ryan Parry, ventiseienne reporter del «Daily Mirror» che, dando false referenze, riesce a farsi assumere come domestico a Buckingham Palace, dove lavora per due mesi prima di raccontare tutto quello che ha visto. Se fosse stato un terrorista, avrebbe potuto assassinare la regina: palazzo reale aveva promesso severi controlli dopo che nel 1982 un intruso era riuscito a entrare nella camera da letto di Sua Maestà, ma l'articolo del «Mirror» dimostra che la sicurezza è ancora scarsa.

Lo scoop contiene tuttavia anche una rivelazione sulla vita quotidiana della sovrana, perché il finto valletto scatta foto in varie stanze, compresa quella della prima colazione di Elisabetta e Filippo. Sul tavolo spiccano le tazze per il tè, una teiera, un vaso di fiori gialli, scodelle di cereali e zuppa di avena, un vasetto di miele e uno di marmellata, un piattino con il burro, il pane tostato. I piatti non sono tutti del medesimo servizio né particolarmente raffinati. Ci sono biscotti in scatole di plastica come quelle che ciascuno di noi ha nella propria cucina. E una radio a transistor bianca, con l'antenna bene alzata, spicca al centro della tavola. Un segno che, nonostante il lusso dei palazzi e le centinaia di servitori, la regina Elisabetta vive semplicemente, con i piatti spaiati, i biscotti nella scatola di plastica per evitare che quando la confezione è aperta vadano a male e la radio a transistor per ascoltare le notizie del mattino: sembra un quadretto del breakfast di una famiglia della classe media, invece siamo a palazzo reale.

Ma se da un lato Elisabetta può sembrare all'antica, dall'altro sa navigare molto bene nella modernità, adeguandosi ai tempi. Ha cominciato subito a stare al passo con i tempi, anzi perfino a precederli: con la cerimonia di incoronazione, sedici mesi dopo essere salita al trono.

III

LA PRIMA REGINA TELEVISIVA

«La televisione è il peggiore dei mali, ma immagino che, quando ci si abitua, non sia così terribile come sembra.» Elisabetta confida la sua apprensione in una lettera al primo ministro, alla vigilia dell'evento che farà di lei una stella della tivù per tutta la vita, trasformando completamente la sua immagine, il suo regno e il suo posto nella storia, o perlomeno nell'immaginario pubblico. Si tratta dell'incoronazione, una cerimonia tanto importante e complessa per la casa reale che passa quasi un anno e mezzo dal giorno in cui è diventata regina in cima a un albero in Africa a quello in cui viene confermata solennemente nel suo ruolo dentro all'abbazia di Westminster a Londra.

In linea con la propria riservatezza, il suo istinto è non concedere spazio al nuovo mezzo di comunicazione che ha sostituito la radio: la televisione, che per gli inglesi dell'epoca è esclusivamente la BBC, come per gli italiani era la Rai. Vuole tenere lontane le telecamere anche per un'altra ragione: teme che tolgano sacralità all'avvenimento. Churchill concorda con lei. Ma la BBC preme, le neonate reti televisive straniere protestano, i giornali pubblicano richieste anche dalla gente comune. A farle cambiare del tutto idea è il marito: da sempre attirato dall'innovazione tecnologica, Filippo capisce che la tivù sarà un formidabile trasmettitore per la casa reale e che una giovane regina non può fare a meno di stare al passo con i tempi. Così alla fine Elisabetta cede, a un patto: che la diretta dell'incoronazione non comprenda il momento più sacro, l'unzione della sovrana con olio santo, e che non ci siano primi piani. È comprensibile che tema di tradire l'emozione: ha soltanto 26 anni. Non sa ancora di essere un'attrice nata. E comunque, quando si applica a una cosa, la regina non fallisce, che sia andare a cavallo o recitare la parte davanti a milioni di telespettatori.

È lei stessa a preannunciare la trasmissione televisiva, nel suo primo discorso radiofonico da regina, nel Natale precedente: «Milioni di persone, all'esterno dell'abbazia di Westminster, avranno la possibilità di ascoltare le promesse e le preghiere che verranno pronunciate all'interno e di assistere a gran parte della cerimonia. Di qualunque religione siate, pregate Dio affinché mi conceda la forza per adempiere alle solenni promesse che sto per fare e che io possa servire fedelmente il Signore e voi tutti, ogni giorno della mia vita». È come se i primi sedici mesi da sovrana non contassero: soltanto quando avrà la corona in testa comincerà a essere regina sul serio.

Le prove sono lunghe ed estenuanti. A corte qualcuno si preoccupa che la regina si stanchi e non riesca a portare a termine la cerimonia, ma lei fuga ogni dubbio: «Starò bene, sono forte come un cavallo». Forte e sana, come dimostrerà nel corso della sua lunga vita: nelle lunghe traversate oceaniche per i viaggi ufficiali, quando tutti hanno il mal di mare, l'unica a non avere la nausea è lei.

L'incoronazione attira un milione di persone nelle strade di Londra. Il 2 giugno 1953 è un tipico giugno inglese: freddo, vento e pioggia, ma una folla immensa sfida le intemperie per assistere al passaggio del corteo, composto da 13.000 soldati in rappresentanza di cinquanta paesi del Commonwealth britannico, da ventinove bande militari e da ventisette carrozze, compresa la Gold State Coach trainata da otto cavalli grigi su cui viaggia la sovrana. Prima che salga a bordo, uno dei suoi assistenti le domanda se è nervosa: «Certo che lo sono,» risponde, lasciando credere al consigliere di riferirsi alla cerimonia, «ma sono sicura che Aureole vincerà.» Parla del suo cavallo che quattro giorni dopo deve competere nel Derby, la più importante corsa di galoppo della stagione inglese: una battuta degna di una commedia, rivelatrice del carattere di Sua Maestà, più preoccupata per i suoi adorati animali che per le vicissitudini della razza umana.

In chiesa siedono 7500 invitati, tra cui famiglie reali di tutta Europa, capi di Stato e di governo, un capotribù africano in pelliccia di leopardo, ambasciatori e politici, oltre naturalmente ai membri della royal family. Gli uomini sono in frac, le donne in abito da sera, alcune con strascico. Ci sono anche, fuori dalla chiesa però, centinaia di giornalisti da tutto il mondo che guardano le immagini trasmesse dalla BBC e poi ripetono quello che vedono ai propri canali nazionali: è il primo grande evento mediatico globale. A fare la telecronaca per l'Italia è Arrigo Levi, un simpaticissimo e coltissimo modenese di origine ebraica, all'epoca giovane giornalista, destinato a una carriera prodigiosa che, dopo essere andato a combattere con le forze israeliane nella guerra d'indipendenza del 1948, lo porterà a essere corrispondente da Mosca, conduttore del telegiornale, direttore del quotidiano «La Stampa» e infine consigliere per i media del presidente Ciampi.

Il momento più emozionante per Elisabetta è quando l'arcivescovo di Canterbury, che è il leader spirituale della Chiesa anglicana, versa olio santo da un'ampolla d'oro in un cucchiaio d'argento e con esso unge le mani, la fronte e il petto della regina tracciando il segno della croce. Re e regine d'Inghilterra non regnano più in base a un diritto divino, che li poneva al di sopra dei comuni mortali perché rispondevano delle proprie azioni soltanto a Dio, ma in quel momento Elisabetta si sente letteralmente unta dal Signore, santificata da un patto sacro che le impone di servire il popolo e la patria fino alla morte. È questa intima commozione che la giovane regina vuole tenere nascosta ai telespettatori: perciò questa breve fase della cerimonia non viene ripresa dalla BBC, ma tutto il resto sì. Il mondo assiste alla serietà, alla grazia e all'abilità da equilibrista con cui la giovane regina si muove indossando abiti pesanti 16 chili e poi una corona pesante altri 2: un copricapo in oro massiccio con quattrocentocinquanta pietre preziose. Una piccola donna alta un metro e 64 potrebbe sentirsi schiacciata da un peso simile, a cui si aggiungono cinque metri di strascico del vestito, ma lei se la cava bene, senza tentennamenti, a parte quando Filippo, prestatole giuramento con le parole «divento vassallo vostro e vostro servitore sulla terra», le dà un bacetto su una guancia e per poco non provoca la caduta della corona, che Elisabetta lesta rimette a posto con la mano. Nell'abbazia fondata nel 960, dove sono sepolti fra gli altri Enrico VIII, il poeta Geoffrey Chaucer, il condottiero Oliver Cromwell, gli scienziati Isaac Newton e Charles Darwin, siede anche un bambino di 4 anni e mezzo: il principe Carlo. Chissà se pensa che anche lui un giorno sarà incoronato allo stesso modo: ma se lo pensa, di sicuro non immagina che dovrà aspettare così tanto tempo.

Alla fine, l'arcivescovo, con una mossa decisamente inglese, estrae da sotto il sottanone una fiaschetta di brandy e la passa alla regina perché possa berne un sorso e ritemprarsi. Ce n'è bisogno perché in effetti non è affatto finita lì: percorsa senza inciampare tutta la navata, con corona, scettro e strascico raccolto da uno stuolo di damigelle, Elisabetta sale di nuovo insieme a Filippo sulla carrozza dorata e per due ore gira Londra salutando la gente. Continua a diluviare e a fare così freddo che, quando rientra finalmente a Buckingham Palace, la regina ha il naso rosso e le mani gelide. Come è nel suo stile, non si lamenta. La sua interpretazione è stata perfetta. Ventisette milioni di britannici l'hanno seguita in diretta tivù: la maggioranza della popolazione totale, che all'epoca è di 36 milioni. In America si è incollato davanti al video un terzo della nazione: 55 milioni di persone. Lo stesso è avvenuto ovunque. Trasmettere l'incoronazione in diretta ha avuto due effetti: ha raddoppiato immediatamente le vendite di televisori e ha fatto conoscere Elisabetta in tutto il mondo come non era mai avvenuto. Prima si sentiva parlare di re e regine alla radio, si leggeva di loro sui giornali: adesso hanno potuto vederla tutti, in un momento solenne. È nata una star. Peccato per lei che quattro giorni dopo, al Derby di galoppo, il suo cavallo Aureole, a quanto pare unico suo motivo di preoccupazione prima della cerimonia a Westminster, arriva soltanto secondo.

Ed è appena l'inizio. Nel 1957 passa dalla radio alla tivù per la trasmissione del suo discorso di Natale: un appuntamento molto sentito dagli inglesi, equivalente del discorso di fine anno in televisione del presidente della Repubblica agli italiani. Anche in questo caso la regia occulta dietro le quinte è di Filippo, che considera il video un mezzo di comunicazione straordinario. Il marito la spinge a fare delle prove, a esercitarsi a leggere il discorso su un teleprompter per non abbassare di continuo lo sguardo su un foglio, a cercare di apparire spontanea, perfino a sorridere, almeno alla fine, cosa che non le viene per niente naturale. Non è un discorso scritto da lei, ma è da lei approvato, e modificato se opportuno, con Filippo a correggere il testo finale di suo pugno: in fondo si tratta dell'unica occasione in cui Elisabetta può dire quello che pensa, uscendo dal bozzolo della neutralità, seppure stando lontana dalla politica.

Dice cose in un certo senso banali, ma sentite, dal cuore e importanti. Spiega la scelta di apparire in tivù non come una prova di vanità, ma come possibilità di apparire al suo popolo «una figura meno distante» e di rendere il suo messaggio «più personale e diretto». Ammonisce sui rischi di un nuovo media come quello, «la velocità con cui cambiano le cose intorno a noi» può turbare, osserva; «Bisogna imparare ad approfittare dei vantaggi del nuovo modo di vivere senza dover rinunciare alle cose migliori del passato». I problemi, aggiunge, sono causati da chi «si sbarazza di antichi ideali come fossero vecchi macchinari». Occorre coraggio per «prendere posizione a favore di tutto ciò che riteniamo giusto, resistere alla corruzione dei cinici e mostrare al mondo che non abbiamo paura del futuro». Le parole con cui conclude il suo primo sermone di Natale verranno ricordate a lungo: «Non posso guidarvi in questa battaglia», sottinteso la battaglia per essere né antiquati né modernizzatori, né cinici né sospettosi del futuro, «ma posso fare qualcos'altro, posso offrirvi il mio cuore». Ha poco più di 30 anni ma parla già come la madre della nazione. A proposito di maternità, dopo una pausa di sei anni, ha avuto altri due figli, Andrea e Edoardo: i maligni dicono che l'intervallo nelle gravidanze è stato imposto da Filippo, che non andava più a trovarla nella sua camera da letto, irritato per la scelta iniziale di dare ai figli soltanto il cognome della madre e poi i cognomi di tutti e due i genitori. La teoria ufficiale è che Elisabetta, sfornati due eredi, uno destinato a diventare re, Carlo, l'altro, Anna, come pezzo di ricambio nel peggiore dei casi, ha voluto concentrarsi sul suo mestiere di regina per un po', prima di essere pronta ad altre due gravidanze. Peraltro, trascorsi i nove mesi di gestazione, i nuovi venuti finiscono in mano a un esercito di tate, esattamente come i due figli che li hanno preceduti.

Trenta milioni di spettatori seguono il suo primo discorso in tivù: un'audience da primato. I giornali la applaudono. Mai un messaggio di Natale del re o della regina aveva avuto un successo simile. Passa qualche mese e la televisione trasmette in diretta anche il discorso per l'inaugurazione dell'anno parlamentare. Tradizione vuole che il monarca legga il programma del «suo governo»: un programma in cui il sovrano di turno non ha minimamente influito, anzi, solo all'ultimo apprende le proposte di leggi o i provvedimenti che include. Ma anche quello è un avvenimento importante, e poi le tradizioni hanno grande valore nel Regno Unito. C'è tutta una simbologia da rispettare: un funzionario che rappresenta Sua Maestà si dirige verso l'aula della Camera dei Comuni. La porta gli viene sbattuta in faccia, per sottolineare che la camera bassa, il vero Parlamento, eletto dal popolo, è indipendente dalla monarchia. Infatti, il re o la regina non hanno il permesso di entrare in quell'aula dal 1642, quando Carlo I ci provò con l'obiettivo di arrestare cinque deputati. Ebbene, il funzionario, chiamato Black Rod, a quel punto bussa tre volte alla porta con un bastone di ebano, gli viene aperto, e lui con voce stentorea invita i membri dei Comuni a recarsi immediatamente nell'aula della Camera dei Lord per ascoltare il messaggio della sovrana. A due a due, in colonna, i parlamentari lo seguono. La regina li attende sul trono. Filippo siede al suo fianco. Elisabetta legge il programma governativo da una pergamena. Il tutto dura pochi minuti. Poi Sua Maestà esce dal palazzo di Westminster, talvolta in carrozza trainata da cavalli per dare ancora più pompa magna alla cerimonia, e torna a Buckingham Palace. Il primo discorso televisivo di Elisabetta in Parlamento, quel 28 ottobre 1958, non è importante per ciò che dice, ma perché per la prima volta il popolo e il mondo intero possono assistere all'elaborata cerimonia senza bisogno di essere dentro il palazzo simbolo della democrazia moderna. La stella dello show è lei, naturalmente, perché le occasioni di vederla da vicino sono così rare.

Quindi, due anni dopo, il 6 maggio 1960, la tivù trasmette per la prima volta un matrimonio reale: quello tra Margaret, la sorella minore della regina, e l'uomo finalmente prescelto per consolarla dalla rottura imposta da Elisabetta con l'innamorato divorziato e giudicato per questo inaccettabile. Il promesso sposo è Tony Armstrong-Jones: non è un aristocratico, a dispetto del doppio cognome, ma viene dalla ricca borghesia, suo padre è un grande avvocato, la madre è figlia di una dinastia di banchieri, lui stesso avendo studiato a Eton e poi a Cambridge, ha l'accento, le maniere, la sicurezza tipici dei rampolli dell'alta società. In più è bellissimo e affascinante, tanto da sedurre tutti, non solo Margaret ma l'intera famiglia reale: perfino la regina, che preferisce la sostanza alla forma e non è il tipo da farsi incantare dai dongiovanni, lo trova subito simpaticissimo e gli assegna un titolo nobiliare, nominandolo conte di Snowdon. Le nozze, a Westminster Abbey, deliziano il grande commediografo Noël Coward, uno dei 2000 invitati, e aprono un nuovo genere televisivo, i matrimoni reali, destinato a diventare uno dei serial più apprezzati dal pubblico.

Nove anni più tardi, il solito Filippo ha l'idea di mostrare in televisione non soltanto un discorso o un matrimonio ma la vita della famiglia reale: far vedere la regina nelle sue funzioni pubbliche così come nelle abitudini private. È lui l'ideatore e l'artefice di un documentario per la BBC: anche questa una novità assoluta. Con l'occasione, i reali mettono in mostra non soltanto sé stessi ma i luoghi in cui vivono: per la prima volta i sudditi possono vedere gli appartamenti privati di Buckingham Palace e di Windsor, l'interno dello yacht *Britannia* e del treno reale (già, perché la famiglia reale ha perfino un treno tutto per sé), i giardini, i parchi, le vacanze, Carlo in bicicletta e sugli sci, Filippo che guida un elicottero o pilota un aereo, la regina al volante di una Land Rover (pur non avendo la patente, non si può sottoporre a un esame di guida Sua Maestà: ma se la cava benissimo dal tempo in cui era arruolata nel corpo degli Ausiliari durante la seconda guerra mondiale), dà da mangiare ai cavalli, passeggia con i suoi cagnolini, prepara un barbecue. Il filmato dovrebbe includere anche numerose scene di caccia, una delle passioni di Elisabetta, ma all'ultimo vengono tagliate per timore che qualcuno rimanga impressionato nel vedere la regina che spara e uccide cervi o fagiani. E viene ripresa mentre paga di tasca propria un pacchetto di caramelle comprato al figlio più piccolo Edoardo in un negozio, estraendo qualche monetina dalla borsetta.

Così si capisce che la borsetta non è puro ornamento: in seguito le indiscrezioni diranno che contiene un pettine, un fazzoletto, il rossetto e una banconota o due da 10 sterline per dare una mancia o fare l'elemosina all'occorrenza. Ma il vero scopo della borsetta è un altro: serve a segnalare se la regina è stanca, quando la deposita per terra, o vuole andarsene immediatamente, quando la passa da una mano all'altra. Per quanto di aspetto così comune che ognuno di noi può credere di averne vista una simile al braccio della propria madre o nonna, la borsetta è firmata da Launer, un designer di moda francese, e costa da 1500 a 2000 sterline (tra 1800 e 2300 euro) a seconda dei modelli: si dice che la regina ne abbia una collezione di duecento esemplari in colori e stili differenti. È il capo più iconico del suo abbigliamento. Tutto il resto è fatto a mano apposta per lei. Il primo sarto di corte era Norman Hartnell, ereditato da sua madre. Poi è toccato a Hardy Amies, sostituito negli anni Settanta da Ian Thomas, poi dal 1998 da Angela Kelly, alla testa di una squadra di dieci persone: sempre stilisti inglesi. La regina predilige colori vivaci, brillanti, ma classici, giallo, rosa pesca, verde pisello: contribuiscono a metterla in risalto, riflettendo le tonalità delle stagioni. È famosa per i suoi cappellini. Le scarpe sono comode, con un tacco misurato. Kelly, la sua ultima stilista e la prima donna nel ruolo di sarto reale, ha lo stesso piede della regina: indossa lei stessa ogni nuovo paio di calzature, per ammorbidirle prima di passarle alla sua illustre cliente.

La BBC manda in onda il documentario il 21 giugno 1969. *Royal Family*, questo il titolo, ha un tale successo che viene replicato altre quattro volte. In tutto lo guardano 40 milioni di telespettatori nel Regno Unito e 400 milioni in altri centotrenta paesi che ne acquistano i diritti. Qualcuno in seguito sosterrà che, dopo lo sbarco degli astronauti americani sulla Luna, avvenuto nel luglio di quello stesso anno, sia stato il programma televisivo più visto della storia. I tradizionalisti dissentono, ricordando il già citato monito del grande giornalista Walter Bagehot, primo direttore del settimanale «The Economist» e autore di un saggio diventato un classico sulla costituzione britannica: «Sul sovrano deve rimanere un alone di mistero, non dobbiamo fare luce sulla magia». Poiché è una bella frase, e poiché i giornalisti hanno l'inveterata abitudine di copiarsi fra di loro, la locuzione è stata ripetuta all'infinito, anche ai giorni nostri, da chiunque si vanti di essere un esperto della famiglia reale: questa apparizione non si doveva fare, questa iniziativa non si doveva prendere, questa cosa non andava detta, perché la monarchia non può «fare luce sulla magia», altrimenti perde il suo fascino misterioso.

Uno dei tanti che l'hanno ripetuta è il grande naturalista sir David Attenborough, autore di bellissimi programmi della BBC sulle meraviglie della natura e del mondo animale: «Il documentario sulla famiglia reale potrebbe uccidere la monarchia, perché essa dipende dall'alone di mistero in cui è avvolta». Sir David paragona la regina a «un capotribù chiuso nella sua capanna» sostenendo che «se i membri della tribù possono vedere l'interno della capanna, l'intero sistema su cui si regge la tribù è compromesso e la tribù finisce per disintegrarsi». L'argomento della magia e del mistero del monarca poteva valere nel XIX secolo, al tempo di Bagehot, quando il re o la regina erano considerati quasi delle divinità. Ma nel dopoguerra, con l'avvento dei mezzi di comunicazione di massa e della pubblicità, in particolare con la televisione, tutto cambia: per affascinare là tribù bisogna, al contrario, fare luce sull'interno della capanna. Le cose cambiano ancora di più con la rivoluzione digitale, quando il mondo diventa un villaggio globale, in cui tutti vogliono e anzi possono sapere tutto di tutti, un villaggio dove i misteri sono rapidamente svelati, magari da un selfie o su una chat o da un post. Attenborough è nato lo stesso anno della regina, ma Elisabetta si dimostra molto più moderna: con l'aiuto di Filippo, un ragazzo del 1921, nato prima di entrambi.

Lo stesso anno del documentario, viene ripresa in diretta tivù anche l'investitura di Carlo a principe di Galles: il primogenito compie 21 anni e assume tutte le responsabilità ufficiali di erede al trono, cominciando a prendere il posto della regina in alcune cerimonie e funzioni. L'inizio di un lungo apprendistato: molto più lungo di quanto il principe possa immaginare. Il suo giuramento alla madre, in un castello del Galles, «giuro di essere suo fedele vassallo e di sostenerla, nella vita e nella morte, contro ogni avversità», viene visto da mezzo miliardo di telespettatori in tutto il Commonwealth. Un invitato dice a Sua Maestà di aver trovato l'evento molto commovente. Elisabetta risponde che lei e Carlo hanno dovuto fare sforzi per non mettersi a ridere perché la corona posata sulla testa del figlio era troppo grande e rischiava di cadergli di dosso. A dimostrazione di quanto già detto sul «buco della serratura»: ciò che vediamo, pensiamo e scriviamo della casa reale è solo l'interpretazione di suoni soffusi e ombre fugaci. La realtà è spesso assai diversa da come ci appare.

Dalla tivù, beninteso, per Elisabetta vengono anche i dolori, come l'intervista alla BBC di Diana sulla sua rottura con Carlo o, molti anni dopo, l'intervista del nipote Harry e della moglie Meghan a Oprah Winfrey, stella dei talk show televisivi americani, in cui la coppia denuncia il razzismo di un anonimo membro della casa reale nei confronti del loro bebè: «Si domandavano di che colore sarebbe stato». Né mancano i momenti televisivi di autentica commozione, come il discorso con cui Elisabetta ricorda Diana dopo la tragica morte della principessa, quello sulla pandemia che affligge il suo paese e il mondo intero o quello dopo la scomparsa del marito Filippo.

Con il passare del tempo, un discorso di Natale dopo l'altro, un'inaugurazione dell'anno parlamentare dopo l'altra, la regina acquista una notevole confidenza con la telecamera. Ormai è perfettamente a suo agio, naturale, sicura di sé, come un'attrice consumata. Prova ne siano almeno tre apparizioni televisive in cui recita davvero, nella parte di sé stessa.

La prima è lo spot per le Olimpiadi di Londra del 2012, in cui riceve a Buckingham Palace James Bond, interpretato da Daniel Craig, l'attore che dà volto all'agente 007 in quel periodo. «*Good evening, Mr Bond*» gli dice quando Craig manifesta la sua presenza nell'ufficio della sovrana con un colpo di tosse, mentre lei è intenta a scrivere qualcosa al suo tavolo da lavoro. «*Good evening, Your Majesty*» replica Bond. La regina si alza, s'avvia fuori dalla stanza, seguita da 007 e da un paio di scodinzolanti corgi, poi salgono in elicottero, sorvolano tutta Londra e si gettano con il paracadute sullo stadio dove si svolge la cerimonia di inaugurazione dei Giochi, che la sovrana, riapparsa un attimo dopo in tribuna stampa, dichiara aperti: un po' le scappa da ridere, per la messa in scena che ha organizzato, penso io seduto poco distante in tribuna stampa a rimirarla, perché ovviamente non si è buttata davvero con il paracadute.

Danny Boyle, il regista della cerimonia, oltre che di tanti film tra cui il premio Oscar *The Millionaire*, racconterà che, quando gli è venuta l'idea di coinvolgere 007 e la regina, pensava di ricevere un rifiuto dalla casa reale: e invece lei ha accettato.

Così come accetta, quattro anni dopo, la richiesta del nipote Harry di apparire insieme a lui in uno sketch per gli Invictus Games, i giochi per i feriti e i disabili di guerra, un'iniziativa fondata dal principe: nel video si vede Harry che, seduto su un divano con la nonna, le mostra il programma della manifestazione, quando sul telefonino di lui, con lo squillo di *Hail to the Chief*, la musichetta che annuncia il presidente degli Stati Uniti, arriva un videomessaggio di Michelle e Barack Obama. «Ehi, principe Harry, ti ricordi quando hai invitato gli americani agli Invictus Games?» dice la first lady in tono volutamente provocatorio. E il presidente: «Potresti pentirtene», mentre alle loro spalle tre domestici della Casa Bianca gesticolano commentando «*bum*», che equivale a dire vi distruggeremo, ossia gli atleti Usa faranno polpette di quelli britannici. Harry e la regina si guardano. «*Bum? Really?*» commenta Sua Maestà: ma quale *bum*, come dire che saranno i britannici a fare polpette degli americani. E Harry rivolge a sua volta un «*bum*» di sfida alla coppia presidenziale.

Il terzo filmino in cui la regina dà prova di attrice, girato quando ha 96 anni, va in onda in occasione del Giubileo e lei vi appare insieme all'orsetto Paddington, che le fa gli auguri per i suoi settant'anni sul trono. Ne riparleremo più avanti. In pratica, è come se recitasse dentro un cartone animato. La conferma che è diventata molto più di un personaggio in carne e ossa: è un'icona, un mito, una favola.

Da una regina che recita sé stessa alle attrici che recitano la regina il passo è inevitabile. Prima arriva nel 2006 il film *The Queen*, centrato sulla scomparsa della principessa Diana e sulla crisi che questa diventa per la monarchia: a fare la parte di Elisabetta è una delle migliori attrici britanniche, Helen Mirren, che vince l'Oscar per la sua interpretazione. Quello che doveva essere un piccolo film, quasi d'essai, firmato da un regista ironico come Stephen Frears, diventa un classico, ritrasmesso per anni dalla televisione e poi sui canali in streaming in tutto il mondo. Non si sa se la regina l'abbia visto, ma tre anni prima Mirren era stata fatta dama, l'equivalente femminile di sir, e ce l'ha messa tutta per presentare un ritratto fedele di Sua Maestà in un momento drammatico, forse il più difficile, del suo regno. La vittoria dell'Oscar dell'attrice, in una parte in cui Elisabetta mostra i suoi difetti, i suoi umanissimi limiti, in un certo senso è anche la vittoria della regina.

Dieci anni dopo *The Queen*, il medesimo produttore, Peter Morgan, crea *The Crown*, la serie che ha conquistato il mondo con le sue prime quattro stagioni (è in arrivo una quinta), raccontando la saga di Elisabetta dal matrimonio con Filippo nel 1947 a quello fra Carlo e Diana, dal rapporto con Churchill a quello con Margaret Thatcher. Anche qui due interpreti prodigiose, Claire Foy per la giovane Elisabetta e Olivia Colman per l'Elisabetta di mezza età (a cui seguirà Imelda Staunton per l'Elisabetta anziana, fino ai giorni nostri). E di nuovo un successo straordinario di critica, 90 per cento sul sito Rotten Tomatoes (pomodori marci), l'aggregatore di tutte le recensioni; di riconoscimenti, con 21 Emmy, gli Oscar per la tivù, e due Golden Globe per la televisione; e di pubblico, 73 milioni di telespettatori da quando Netflix ha cominciato a trasmetterla.

I giornali inglesi, specie i difensori a oltranza della casa reale, hanno elencato minuziosamente le imprecisioni, le esagerazioni e le invenzioni vere e proprie della serie, che non pretende di essere una biografia ufficiale o ufficiosa di Elisabetta. Ma anche le correzioni dei giornali sono piene di «pare», «sembra», «secondo il tale», perché la casa reale non ha mai commentato la serie né confermato o smentito alcunché, come è nella sua tradizione: le smentite avvengono soltanto in presenza di gravi questioni di Stato, come la Brexit (quando un portavoce ha smentito il titolo del «Sun», affermando che la regina non si è mai pronunciata né a favore né contro l'uscita del Regno Unito dall'Unione europea). Come tanti film che si dicono «ispirati da fatti realmente accaduti», per esigenze di copione sia *The Queen* che *The Crown* hanno cambiato dettagli, alterato fatti, mescolato verità e fantasia: ma l'arte, che si tratti di un quadro o di una recita, riesce talvolta a fornire un ritratto della realtà più convincente della cronaca, e questo vale sicuramente per il film e la serie in questione. *The Crown* in particolare contribuisce a rendere Elisabetta ancora più popolare, rinverdendo tutta la prima parte della sua vita per generazioni che non l'hanno conosciuta in prima persona perché non ancora nate. È una sensazionale campagna pubblicitaria per la sovrana. Si dice che, sollecitata dalla contessa Sofia, moglie del suo quartogenito Edoardo, Elisabetta ne abbia guardato qualche puntata, presumibilmente proprio quelle sui suoi anni giovanili.

Quanti leader mondiali, quanti capi di Stato, possono vedersi trasfigurati sullo schermo durante la propria esistenza? Per Elisabetta, grazie alla televisione, la vita è stata è un film lungo settant'anni. Discorsi, documentari, sketch e fiction hanno contribuito a creare quella rara mistura che appartiene a pochi, facendo di un essere umano una leggenda.

QUATTRO MATRIMONI E UN FUNERALE

A proposito di cinema: nel 1994 esce dapprima in Inghilterra e quindi in tutto il mondo un film intitolato *Four Weddings and a Funeral*, una deliziosa commedia romantica diretta da Mike Newell, primo di una serie di film sceneggiati da Richard Curtis in cui appare l'attore Hugh Grant. Girato in appena sei settimane, costato meno di 3 milioni di sterline, diventa uno dei film britannici di maggiore successo di tutti i tempi, incassando 250 milioni di sterline, ricevendo un mucchio di premi e facendo di Grant una stella del cinema. *Quattro matrimoni e un funerale*, come si intitola nella versione italiana, inaugura una serie di film analoghi, leggeri, dolci, ironici, che rappresentano un'idea di cosa vuol dire essere inglesi nell'era della «Cool Britannia», la Gran Bretagna trendy, alla moda, globalizzata e vincente, che sboccia negli anni di Tony Blair al governo. Altri due titoli di questo genere cinematografico sono *Notting Hill*, sempre scritto da Curtis, diretto da Roger Michell e interpretato da Grant, uscito nel 1999; e *Love Actually*, scritto e diretto da Curtis e di nuovo con Grant, uscito nel 2003.

Le trame delle tre pellicole sono diversissime: la prima racconta di un gruppo di amici, fra innamoramenti, nozze e il funerale a cui allude il titolo, pur senza rovinare il clima allegro della storia; la seconda parla di una stella di Hollywood, interpretata da Julia Roberts, che dopo vari equivoci e difficoltà si innamora di un libraio del quartiere londinese di Notting Hill, interpretato da Hugh; e la terza mescola i destini di diversi personaggi, tra i quali il primo ministro britannico, interpretato magistralmente da Grant, il cui discorso a un presidente americano che allunga le mani con le segretarie, chiaramente ispirato a Bill Clinton, viene spesso citato dagli inglesi come il tipo di discorsi che vorrebbero sentire in bocca al loro vero primo ministro: «Possiamo essere una piccola nazione, ma siamo anche grandi, siamo il paese di Shakespeare, di Churchill, dei Beatles, di Sean Connery, Harry Potter, del piede sinistro di David Beckham». Il Grant/primo ministro avrebbe potuto aggiungere: «Siamo il paese della regina Elisabetta», e tutti sarebbero stati d'accordo.

Ebbene, il titolo del film capostipite di questa idea dell'Inghilterra riassume un periodo chiave della vita di Elisabetta II, anch'esso contrassegnato da quattro matrimoni e da un funerale: le nozze fra Carlo e Diana (1981), tra Carlo e Camilla (2005), tra William e Kate (2011), tra Harry e Meghan (2018), inframezzate dal funerale di Lady D (1997). Sono quasi quattro decenni in cui la monarchia monta su un ottovolante, sale, scende, sale e di nuovo scende, senza mai far perdere del tutto l'equilibrio a Sua Maestà, tranne che per un breve momento, ma anche in quella circostanza riesce a evitare una rovinosa caduta. E sono date significative perché, se nella prima parte della sua vita, diciamo i suoi primi sessant'anni, dal 1926 al 1981, è lei la protagonista assoluta, nella seconda parte, dal 1981 al 2018, sono in risalto anche altri membri della royal family, sebbene Elisabetta sia sempre presente e il centro da cui emana il carisma. È una fase in cui la monarchia diventa una faccenda più collettiva: in primo piano non c'è più solo la regina che la incarna ma tutta la famiglia reale. E l'allargamento della rappresentazione a generazioni più giovani, quelle dei figli e dei nipoti, evoca la terza parte della vita di Elisabetta, l'ultima, dal 2018 in poi: la stagione del declino fisico, del lutto e dell'addio, il preludio della fine.

In effetti, questo periodo inizia già prima del matrimonio fra Carlo e Diana che ne costituisce il primo capitolo. Comincia nel 1976, quando la regina compie 50 anni. È un momento importante della sua vita, una pietra miliare. Va negli Stati Uniti, invitata a partecipare al bicentenario americano, a due secoli dall'indipendenza… be', sì, l'indipendenza proprio dal Regno Unito, ottenuta in una sanguinosa guerra contro gli odiati colonizzatori inglesi. A palazzo reale non tutti pensano che sia una buona idea partecipare «alla celebrazione di un'insurrezione contro la Corona», ma Elisabetta è di diverso parere: ama l'America e gli americani dal tempo della seconda guerra mondiale, quando i due paesi furono alleati nello sconfiggere il nazismo e riportare la libertà in Europa, e ricorda le lezioni di Churchill sull'importanza della «relazione speciale» fra Washington e Londra.

Il suo istinto non la tradisce: nel viaggio conquista tutti. A bordo del panfilo reale *Britannia*, ormeggiato nel porto di Boston, la città in cui con il famoso *tea party* (in realtà una rivolta in cui i patrioti indipendentisti gettarono a mare il tè caricato sulle navi inglesi in partenza per il Regno Unito) ebbe inizio la rivoluzione americana, la sovrana ordina di suonare *Auld Lang Syne*, la canzone che ancora oggi tutti, non solo in Inghilterra, cantano a Capodanno, con quei versi struggenti: «Le vecchie conoscenze dovrebbero essere dimenticate e mai più ricordate?». Un inno all'amicizia, ai legami indissolubili anche dopo che le cose sono cambiate, gli amori sono finiti e, in questo caso, le colonie sono diventate indipendenti. «Quella canzone mi fece ripensare al bene che può derivare da un'amicizia risanata» ricorderà tempo dopo la regina. «Chi mai avrebbe pensato, duecento anni fa, che un discendente di Giorgio III» (il re sul trono d'Inghilterra nel 1776, quando scoppia la rivoluzione americana) «avrebbe potuto partecipare a una festa del genere?»

Sì, l'amicizia con l'America è stata risanata, anche se gli Stati Uniti sono l'unica grande ex colonia britannica a non appartenere al Commonwealth. Del resto, nel suo discorso televisivo di Natale di quell'anno la regina sottolinea proprio l'importanza di avere nuovi amici, come la Comunità economica europea, antesignana dell'Unione europea odierna, in cui il Regno Unito è entrato, o meglio è stato ammesso, nel 1972, dopo aver superato l'opposizione della Francia, che con l'ingresso dei suoi storici nemici inglesi temeva di non poter più dominare l'Europa: «Una delle decisioni più significative del mio regno» la definisce Elisabetta, sancita nel 1975 da un referendum popolare in cui i sì all'ingresso nell'Europa unita sfiorano il 70 per cento. Chi avrebbe potuto immaginare che quarantaquattro anni più tardi, con un altro referendum, il Regno Unito sarebbe uscito dall'Europa unita, seppure con una maggioranza risicata, 52 a 48 per cento, coniando la parola che da allora tormenta i rapporti attraverso la Manica, Brexit, acronimo di «Britain exit»? La Britannia che esce, sottinteso dal continente a cui la legano geografia, storia, radici culturali: nemmeno la regina lo avrebbe creduto possibile.

Pochi mesi più tardi, nel giugno 1977, il suo regno la festeggia con il Giubileo d'Argento, per i venticinque anni sul trono. Soltanto a Londra si svolgono quattromila manifestazioni in suo onore, ma quella che passa alla storia è apparentemente uno sberleffo: i Sex Pistols, una band punk rock, la nuova musica ribelle che sta sconvolgendo il mondo, rilasciano un nuovo brano, provocatoriamente intitolato *God Save the Queen*, che in pratica descrive la regina come la leader fascista di una nazione senza futuro. La canzone finisce in testa alla hit parade. È il presagio di una lunga catena di guai.

Nel 1979 vince le elezioni e diventa primo ministro Margaret Thatcher: la prima volta nella storia britannica che una donna arriva a Downing Street, la prima volta che Elisabetta si trova a conferire con un leader del suo stesso sesso nell'incontro settimanale con il premier a Buckingham Palace. Non si piacciono per niente. Figlia di un droghiere, la Thatcher viene dal popolino, diversamente dalla maggioranza dei suoi predecessori, e dalla totalità dei premier del Partito conservatore, che in precedenza appartenevano all'alta società, alla classe dirigente, uscita da Eton e Oxford, con lo stesso accento e le stesse maniere della regina. In più la nuova premier è aggressiva, una specie di bulldozer, come rivela il soprannome che le viene appiccicato quasi subito, «Iron Lady», lady di ferro, mentre Elisabetta è pacifica e preferisce risolvere sempre i problemi con la conciliazione. Maggie, l'altro nomignolo affibbiato dai media alla nuova leader, invece è uno schiacciasassi. Come dimostra subito in politica estera, dove risponde all'invasione delle Falkland, piccolo arcipelago nell'Atlantico meridionale, retaggio dell'era coloniale rivendicato come proprio dall'Argentina, inviando una flotta a riconquistarlo e vincendo una guerra lampo che dà una nuova illusione di grandezza militare alla Gran Bretagna. E come conferma sul fronte domestico, dove avvia una grande stagione di privatizzazioni, alcune necessarie a modernizzare il paese, altre rivelatesi con il tempo meno efficaci, come quelle di ferrovie e aziende dell'acqua o dell'elettricità.

Soprattutto, privatizza e poi chiude le miniere di carbone, considerate obsolete, troppo costose perché il prezioso minerale costa meno se importato da paesi in via di sviluppo. È l'alba della globalizzazione. I minatori rispondono con un anno di scioperi. Ci sono scontri con la polizia, arresti, spargimenti di sangue. Un terzo conflitto esplode sulla faglia tra politica estera e interna, in Irlanda del Nord, dove gli indipendentisti dell'Irish Republican Army, l'esercito clandestino nordirlandese meglio conosciuto con l'acronimo IRA, combattono per ottenere la separazione della regione dal Regno Unito e il suo ricongiungimento con il resto dell'Irlanda, che dopo secoli di dominazione inglese ha ottenuto l'indipendenza nel 1921 ed è diventata una repubblica. Nell'agosto 1979, mentre la regina trascorre come di consueto le vacanze estive nel castello scozzese di Balmoral, una bomba dell'IRA fa saltare in aria una barca da pesca a Sligo, sulla costa dell'isola, uccidendo sei persone a bordo tra cui Dickie Mountbatten, l'ultimo viceré inglese in India, zio del principe Filippo e cugino di Elisabetta. Un grande dolore per tutta la famiglia reale, in modo particolare per Carlo, che aveva trovato nel prozio l'affetto mai ricevuto dal proprio padre. L'attacco dell'IRA è una risposta alla feroce repressione dell'esercito britannico in Irlanda del Nord, a partire dall'eccidio di quattordici civili inermi a Derry, passato alla storia come il Bloody Sunday, in seguito titolo di una famosa canzone della band irlandese U2. Qualche anno dopo anche la Thatcher scampa per un soffio a un attentato dell'IRA a Brighton.

In questo clima di malessere e di incertezza, nel 1976 il primogenito ed erede Carlo compie 28 anni. I tabloid scandalistici inglesi si occupano senza posa delle sue vere o presunte avventure romantiche. Alcuni lo dipingono come un viziato playboy che passa da una donna all'altra: in parte è vero, perché chi rifiuterebbe il corteggiamento di un futuro re? Ma in parte è un'immagine fasulla, poiché Carlo è un giovane uomo in preda a turbamenti e frustrazioni di ogni tipo: il padre lo giudica un mollaccione e non gli dà confidenza, la madre è abituata ad avere rapporti distanti con i figli, il bullismo che ha sofferto a scuola e nell'esercito gli ha lasciato profonde ferite e quando perde anche l'amatissimo prozio che fa le veci paterne si sente terribilmente solo. L'unica donna che ama veramente è Camilla Parker Bowles, un'aristocratica di un anno più grande di lui, con la quale condivide l'amore per la natura e per i cavalli: si dice che abbia perso la verginità facendo l'amore con lei in una stalla, tra l'odore di fieno e di sterco.

Ma Camilla non è vista di buon occhio a palazzo reale perché, agli occhi dello staff di corte e della stessa regina, ha un imperdonabile difetto: quando incontra Carlo non è più illibata. Il codice non scritto prevede che la moglie del futuro re arrivi vergine all'altare: o se non proprio all'altare, almeno nel suo letto. Così, quando Carlo viene mandato all'estero per il servizio militare, un obbligo per qualsiasi membro maschio dei Windsor, qualche funzionario del ministero della Difesa, avvertito con discrezione dal segretario della regina, prolunga la sua lontananza da Londra. E quando finalmente Carlo ritorna in patria, scopre che Camilla non lo ha aspettato: si è fidanzata, sta per sposarsi. Sono tempi diversi dai nostri: senza telefonini, WhatsApp, social media, per i due giovani è più difficile restare in contatto. E poi a lei non mancano i pretendenti: pur senza essere bellissima è uno spirito libero, audace, birichino, che piace a molti. Morale: la solitudine di Carlo è totale.

A risollevarlo dalla malinconia provvede l'incontro con Diana Spencer, una ragazza giovanissima, per combinazione sua vicina di casa, se così si può dire: figlia di un conte, trascorre parte dell'anno in una vasta tenuta del Norfolk che confina con quella della regina. I dodici anni di differenza tra i due, che fanno della contessina una ragazza appena maggiorenne, sembrano giusti alla famiglia reale. Accertato che Diana è vergine, non rimane che attendere la freccia di Cupido. Occhi azzurri, capelli biondi, alta e magra, lei sembra una fotomodella sul punto di sbocciare: insomma, perfetta per la parte. Il fatto che i genitori di Diana abbiano divorziato quando era piccola e che lei lavori come assistente maestra in un asilo di Londra, un'occupazione poco aristocratica, non vengono giudicati un problema.

Carlo la conosce a una battuta di caccia quando è ragazzina, la rivede qualche anno dopo a un ricevimento. Essendo molto più maturo, gode a fare l'uomo di mondo con la giovanetta inesperta. Il buon cuore di lei la porta a consolarlo per la perdita del prozio Mountbatten. Diana offre al principe la sua spalla e tanto basta per solleticarne l'interesse. Gli amici non sono convinti che sia la scelta giusta: «Ti piace l'idea che Diana rappresenta, più che Diana come persona» gli dicono. Ma la stampa ha già cominciato a scrivere che Lady D è la nuova fidanzata e quanto può rimanere scapolo l'erede al trono, invece di produrre a sua volta un erede, come sarebbe suo dovere? Alla fine, è il principe Filippo a dire al figlio di darsi una mossa, scrivendogli una lettera: «O tronchi la relazione o la sposi, altrimenti danneggi la sua reputazione».

Così Carlo le chiede la mano, le dona l'anello di fidanzamento, si sottopone insieme a lei a un'intervista televisiva con la BBC, un rito a cui in futuro dovranno far fronte anche i suoi figli. Sembrate entrambi, dice l'intervistatore, molto innamorati. «Oh, sì, assolutamente» replica Diana.

«Qualunque cosa significhi "innamorati"» risponde fred-
damente lui. Per coprire l'imbarazzo, Diana fa una risati-
na, come se Carlo avesse detto una spiritosaggine. Ma non
sarebbe quella la sede per scherzare. Infatti, anche Carlo si
rende conto di avere detto una stupidaggine. Per rimedia-
re, ne dice un'altra ancora peggiore: «Il termine "innamorati" è aperto a ogni interpretazione». Chiaramente non è
amore quello che sente per Diana. È il primo gelo che scende sulla coppia. Lady D dovrebbe scappare. Ma è troppo
giovane, inesperta, prigioniera del ruolo che le è stato costruito attorno. Ci vorrebbero un padre o una madre per
dire a Carlo che è la scelta sbagliata. Ma Filippo non sopporta il figlio, troppo diverso da lui, troppo fragile e complicato, per cui non interviene. Ed Elisabetta ha sempre an-
teposto i propri doveri di regina a quelli di madre: è così
che è stata abituata fin da piccola, quando era una bambina ignorata dai genitori, affidata alle nanny, e ha poi fatto
lo stesso quando è stata lei ad avere dei figli.

Come regina, è perfetta. Lo dimostra nel giugno 1981,
in occasione di Trooping the Colour, la parata militare in
onore del suo compleanno, quando sfila a cavallo lungo
il Mall, il viale che unisce Buckingham Palace a Trafalgar
Square: in groppa a Burmese, una giumenta di nove anni,
nello stile detto all'amazzone, cioè con entrambe le gambe
sul fianco sinistro dell'animale, Elisabetta interpreta l'immagine di una sovrana d'altri tempi, alla testa delle sue
truppe. In quel momento, risuonano degli spari. Il suo cavallo fa uno scarto e si lancia al galoppo. Lei riesce a non
cadere di sella e a calmarlo, quindi riprende la sfilata al
passo, salutando la folla come niente fosse. Poi si scopre
che i colpi esplosi in sua direzione erano a salve: un ragazzo di 17 anni ha aperto il fuoco. Nei giorni precedenti aveva cercato invano di procurarsi autentici proiettili.
È il tempo degli assassini: a dicembre è stato ucciso John
Lennon, in primavera hanno sparato al presidente americano Ronald Reagan e a papa Giovanni Paolo II, ferendoli
gravemente. Frustrato perché la sua domanda di arruolar-
si nei Marine è stata respinta, il giovane vuole compiere

un grande gesto, attirando su di sé l'attenzione. Il giorno prima scrive una lettera a Buckingham Palace: «Maestà, non vada alla parata, ci sarà un assassino che cercherà di ucciderla». Ma la Royal Mail, di regola puntuale, quella volta è in ritardo: la lettera arriva a palazzo reale tre giorni dopo l'attentato. Giudicato mentalmente instabile, il ragazzo viene condannato a cinque anni di reclusione e verrà rilasciato dopo tre. L'eroe della giornata è la regina, che ha dimostrato «un coraggio eccezionale», scrivono i giornali. In un sondaggio, l'86 per cento della popolazione si dice favorevole alla monarchia, la percentuale più alta di tutti i tempi. Avesse altrettanto coraggio, Elisabetta, per parlare al proprio primogenito e sconsigliargli un matrimonio privo di amore.

Le nozze vengono celebrate alla cattedrale di St Paul il 29 luglio 1981, dichiarato giorno di festa nazionale. Diana è splendida nel suo vestito bianco con strascico lungo otto metri. Carlo, in uniforme militare, si sforza di sorridere a tutti, tranne che alla promessa sposa. Nel sermone nuziale, l'arcivescovo di Canterbury Robert Runcie, guardando la coppia, afferma solennemente: «Ecco la materia di cui sono fatte le fiabe». È una parafrasi del famoso verso di Shakespeare: «Questa è la materia di cui sono fatti i sogni». Settecentocinquanta milioni di persone che assistono all'evento in diretta tivù ci credono. Ma la fiaba sta già per finire e il sogno sta per tramutarsi in incubo. Anche per Elisabetta.

Durante la luna di miele, Diana rimane incinta, ma è un dovere più che un piacere: il risultato, secondo alcuni, di un solo e unico coito fra gli sposi. Carlo la lascia sempre sola: infatti ha già ripreso a vedersi con Camilla, il cui matrimonio è rapidamente franato per l'infedeltà del marito e perché anche lei in fondo sentiva nostalgia della *liason* con il principe. Forse è proprio Camilla l'unica a capire che lui ha sposato la ragazza sbagliata. Con Diana, Carlo non ha nulla in comune: lei è ancora una ragazza acerba, lui un uomo macerato dal desiderio di distinguersi dalla madre, di trovare un'identità, di affermarsi, che già pensa al giorno in cui salirà al trono, non immaginando quanto sia lontano.

Lady D cade in preda alla depressione, combatte lungamente con la bulimia, si allontana sempre più dal marito. Certo, non può sottrarsi agli obblighi del protocollo, ma la distanza fra marito e moglie è evidente. In un viaggio a Washington, Diana balla scatenata alla Casa Bianca con John Travolta, l'attore diventato famoso con le sue danze nel film *La febbre del sabato sera*: sembra molto più felice con lui che con Carlo. In un altro viaggio, in India, Carlo e Diana siedono vicini su una panchina con sullo sfondo il Taj Mahal, ma ognuno guarda da un'altra parte, con aria annoiata: sembrano lontani chilometri. A una cerimonia pubblica, mentre il principe fa un discorso, lei mostra chiaramente che non lo sta ascoltando. In un'altra occasione, alza gli occhi seccata. La nascita di due figli, William nel 1982 e Harry nel 1984, non allieta l'unione, pur offrendo a Diana il conforto dell'amore materno, molto più affettuoso di quanto fosse l'abitudine a palazzo reale. Se Carlo ha ripreso ad andare a letto con Camilla, e si accompagna a lei anche a cene e party in pubblico, indifferente alle chiacchiere che suscita, Lady D comincia a sua volta a cercare consolazione fra braccia maschili più cariche di affetto: le prime sono quelle del maggiore dell'esercito James Hewitt, ex istruttore di equitazione della famiglia, del quale si dirà per anni che sia il vero padre di Harry, perché hanno entrambi i capelli rossi e si somigliano come due gocce d'acqua. Hewitt ha sempre negato, ma il gelo che con il tempo emergerà tra Harry e Carlo è forse dovuto anche a questo pettegolezzo mai del tutto smentito.

La regina è consapevole che le cose si stanno guastando fra Carlo e Diana. Sembra una maledizione: anche il matrimonio di sua sorella Margaret è finito in un divorzio. Ma mentre la sovrana ha mantenuto buoni rapporti con l'ex marito di Margaret, con Diana la relazione si complica: la nuora vuole fare di testa sua, non sta ad ascoltare nessuno, con il passare degli anni acquista sicurezza, l'ex ragazzina acerba, diventata donna, uscita dalla bulimia, non obbedisce agli ordini di palazzo reale. In pratica, è incontrollabile, anche perché dovunque va viene accolta con calore, specie quando non c'è Carlo al suo fianco.

Tra la nascita di William e quella di Harry, la regina subisce un altro trauma: una mattina si sveglia a Buckinghan Palace e si accorge con grande sorpresa che c'è un uomo seduto sul bordo del letto. Si chiama Michael Fagan. Ha 31 anni. Come l'assassino mancato che le ha sparato colpi a salve un anno prima, Fagan mostra segni di instabilità mentale. Incredibilmente è riuscito a scalare le mura di palazzo reale, arrampicarsi su per una grondaia fino al primo piano, gironzolare indisturbato da una camera all'altra nel cuore della notte finché, per pur caso perché ovviamente non poteva sapere dove dormisse Sua Maestà, finisce nella stanza da letto della regina. Nemmeno in questa occasione Elisabetta perde la calma. Anche stavolta dimostra coraggio. «Lei deve uscire di qui» comincia a dirgli, ma capisce subito di avere a che fare con un una persona che ha problemi mentali e allora inizia a interrogarlo e ascoltarlo. Nel frattempo, senza farsi vedere, preme il pulsante per chiamare i suoi attendenti. Una volta. Due volte. Nessuno risponde.

A un certo punto l'intruso le chiede se ha una sigaretta. Tra parentesi, Elisabetta non fuma. Con prontezza di spirito, gli risponde che dovrebbe esserci un pacchetto in un ripostiglio in corridoio: si alza dal letto e lo accompagna fuori dalla stanza, dove incontra una cameriera che cade dalle nuvole, «Dio mio, chi è quest'uomo, Maestà?», e un domestico di ritorno dal giro in giardino con i suoi corgi, che cominciano ad abbaiare e a saltare addosso allo sconosciuto. In mancanza delle sigarette, il domestico propone a Fagan di bere qualcosa. La cameriera ne approfitta per chiamare la polizia. Poco dopo arrivano trafelate due guardie della scorta reale, che arrestano l'estraneo e lo conducono via.

L'incidente provoca polemiche di fuoco sulla scarsa sicurezza a palazzo reale e le dimissioni del ministro degli Interni. Elisabetta, in perfetto *understatement* inglese, minimizza: «Non ho avuto paura, abbiamo chiacchierato, poi se n'è andato, nessun problema». Ricoverato in ospedale psichiatrico, Fagan viene poi rilasciato e gode di un suo momento di celebrità. La regina rimane più colpita, la settimana seguente, da un altro attentato dell'IRA, una bomba a Hyde Park durante un'esercitazione della Cavalleria Reale, che uccide otto soldati, ne ferisce quarantasette e fa morire un buon numero di cavalli. Tutto congiura per creare attorno a lei un'atmosfera cupa, carica di cattivi presagi, nella vita pubblica come in quella per così dire privata, che però privata non è, rimanendo costantemente sotto la lente dei media e dell'opinione pubblica.

Carlo e Diana vivono ormai separati, lui nella sua fattoria nel ducato di Cornovaglia, la principessa a Kensington Palace con i figli. Il principe Filippo fa un tentativo di riconciliarli, chiedendo in pratica a Diana di accettare la propria sorte in quanto moglie di futuro re ed esprimendole la sua simpatia: «Non riesco a credere che un uomo possa smettere di amare una donna come te per correre dietro a una come lei». «Lei» sarebbe Camilla, che a Filippo, sempre attratto dalle belle donne, non è mai piaciuta: un altro motivo per disprezzare il proprio figlio. Ma è alla nuora che la regina e il marito chiedono un sacrificio, non a Carlo. E Diana non ci sta a sacrificarsi. È una donna indipendente. Non piega la testa.

Nel 1992, undici anni dopo il matrimonio, si separano. È quello che la regina, nel discorso televisivo di Natale, definisce in latino un anno orribile: «Il 1992 non è stato un anno che io possa ricordare con un piacere incondizionato», è la sua maniera di dire che è stato un anno tremendo. «Nelle parole di uno dei miei corrispondenti più solidali, si è rivelato essere un *annus horribilis.*» Il corrispondente solidale che ha coniato l'espressione, si verrà a sapere più tardi, è sir Edward Ford, suo segretario privato.

Gli eventi spiacevoli che scandiscono quei dodici mesi sono numerosi: il terzogenito della regina, Andrea, si separa da Sarah Ferguson, la duchessa di York, una rottura pubblicizzata da una foto, uscita sui tabloid, di lei in

topless che si fa succhiare l'alluce di un piede dall'amante
John Bryan; la figlia della regina, Anna, divorzia dal capitano Mark Phillips; a Windsor scoppia un incendio che di-
strugge buona parte degli interni del castello più amato da
Elisabetta; e Diana appunto si separa da Carlo. Quest'ultimo è il dolore più eclatante per la regina e per la monarchia,
perché coinvolge il suo erede diretto e perché è accompagnato dal tipo di rivelazioni scabrose che lei aborrisce. In-
tervistata dalla BBC, Diana dice di sapere tutto della relazione di Carlo con Camilla: «Il nostro matrimonio era un
luogo un po' affollato» afferma la principessa. «Eravamo
in tre, in quel matrimonio.» Come se non bastasse, finisce sui giornali il contenuto di una telefonata in cui Carlo
sussurra eccitato a Camilla: «Vorrei essere il tuo Tampax».
Annus horribilis è dire poco, per la regina. E pensare che
dovrebbe essere un anno trionfale, per celebrare i suoi qua-
rant'anni sul trono.

Ma il peggio deve ancora venire. Nel 1996 Carlo e Diana
divorziano. Lui viene sempre più maltrattato dai media,
lei sempre più idolatrata, ma la celebrità ha un prezzo: la
principessa viene seguita ovunque da orde di paparazzi.
Bisogna dire che fornisce loro sempre nuovo materiale, sia
che si occupi di cause nobili, come la raccolta di fondi per
la cura dell'Aids o la campagna contro le mine di guerra,
sia che si tratti di vita privata. L'ultimo di una lunga serie
di fidanzati è Dodi Al-Fayed, figlio di Mohamed Al-Faeyd,
un miliardario egiziano all'epoca proprietario di Harrods,
i più lussuosi grandi magazzini di Londra, un'icona della
moda, del commercio e del turismo. L'idea che Diana possa sposare Dodi e avere un figlio da lui, dando all'altro suo
figlio William, destinato a diventare re, un fratellastro mezzo arabo e musulmano, inorridisce la parte più tradiziona-
lista della monarchia.

In realtà Diana non ha alcuna intenzione di sposare Dodi
Al-Fayed: per il momento intende solo divertirsi con un miliardario che la tratta come la regina che non diventerà più.
Forse il divertimento include anche l'idea di scandalizzare
la casa reale uscendo con un fidanzato islamico. Ma anche

senza sposare Dodi, Lady D è una presenza ingombrante
per i Windsor: in prima pagina su tutti i giornali e le rivi-
ste, invitata a tutte le manifestazioni più glamour, capace di
trasmettere la simpatia, il calore umano, il tocco personale
che manca alla famiglia reale e di cui difetta più di ogni altro il suo ex marito, con ogni apparizione sottolinea quanto
sia inadeguato Carlo come futuro re e di conseguenza dan-
neggia anche l'istituto della monarchia di cui Elisabetta si
sente il custode supremo.

Tutti si domandano che cosa accadrà. Nessuno però immagina che la «fiaba» descritta dall'arcivescovo di Canterbury
il giorno del matrimonio nella cattedrale di St Paul stia per
trasformarsi in tragedia. Un anno dopo aver divorziato,
il 31 agosto 1997, Diana muore in un incidente d'auto nel
tunnel del Pont de l'Alma a Parigi. Nella sciagura perdono la vita anche Dodi e l'autista Henri Paul. Sopravvive
soltanto Trevor Rees-Jones, la guardia del corpo, ma subisce ferite alla testa così gravi da fargli perdere ogni memoria dell'accaduto.

Su questo evento che cala come uno spartiacque sulla
monarchia britannica, e crea la peggiore crisi per Elisabetta
nei settanta e passa anni del suo regno, sono stati scritti fiumi di articoli e centinaia di libri. Molto, tuttavia, si è
detto a sproposito, a cominciare dai dettagli. Perfino una
grande giornalista come l'inglese trapiantata in America
Tina Brown, dopo avere diretto «Vanity Fair» e il «New
Yorker», vale a dire due dei migliori settimanali degli
Usa, parte con il piede sbagliato. Analizzando l'ultima
foto di Lady D da viva, mentre esce dalla porta girevo-
le dell'Hotel Ritz di Parigi per salire in auto e compiere il
suo viaggio fatale, la giornalista scrive che dal suo sguardo triste, incupito, malinconico, si capisce che la relazione
con Dodi sta andando male: l'umore della principessa le
sembra un presagio del disastro che sta per accadere. Se-
nonché, dieci anni dopo un tabloid inglese si impossessa
del filmato delle telecamere a circuito chiuso dell'ascenso-
re del Ritz e trova il momento esatto in cui Diana e Dodi
scendono dalla loro camera, anzi dalla loro suite, per sa-

lire sulla Mercedes: ebbene, nel bugigattolo del lift la coppia scherza, Diana ride, appaiono totalmente spensierati, allegri, perfino felici. Una dimostrazione di più che la stampa mondiale, quando descrive la famiglia reale, si limita a raccontare quello che vede dal buco della serratura, perché la gran parte di quello che avviene è fuori dalla nostra portata, invisibile agli occhi dei media.

Ma giusti o sbagliati i dettagli della vicenda, la sciagura suscita un'ondata di supposizioni. È stato appunto un tragico incidente d'auto o si è trattato di un assassinio, un complotto per liberarsi di una presenza sempre più scomoda? Nessuno scrive chiaro e tondo che il mandante potrebbe essere la regina, ma il dito è puntato comunque sulla monarchia: a dare l'ordine, dopo averlo discusso con Sua Maestà, potrebbero essere stati il principe Filippo, un duro che non indietreggia davanti a niente, o il principe Carlo, colui che da Diana viva aveva più da perdere.

Le prove secondo cui l'autista aveva bevuto troppo, la Mercedes andava troppo forte per distanziare le orde di paparazzi che la inseguivano come al solito e se fosse andata a sbattere un centimetro più in là non avrebbe centrato il pilone che ha causato un impatto così forte, non convincono l'esercito di seguaci della teoria della cospirazione. Il Regno Unito, rispondono costoro, ha il servizio segreto migliore del mondo, l'MI6, non per nulla lo spionaggio che annovera tra i suoi agenti il James Bond della finzione letteraria e cinematografica: per 007 del genere sarebbe un gioco da ragazzi, affermano i seguaci del complotto, organizzare una messa in scena in grado di simulare l'incidente. E per levare il sospetto che nel mirino ci fosse lei, aggiungono, sono stati uccisi anche il fidanzato e l'autista. Già, ma non è stata uccisa la guardia del corpo. Come mai? La motivazione dovrebbe smontare ogni sospetto di complotto: la guardia del corpo è l'unico, a bordo della vettura, ad avere allacciato la cintura di sicurezza.

Tutte le analisi degli esperti e del medico legale dimostrano che Diana, ancora viva dopo il tremendo impatto, spirata poco dopo l'arrivo in ospedale, sarebbe sopravvissuta se avesse allacciato la cintura. Poiché nessuno poteva prevedere se la principessa avrebbe allacciato la cintura o meno, non poteva esserci alcuna cospirazione per assassinarla. Ma i sospettosi a oltranza, i creduloni che corrono sempre dietro alle favole, e non c'è favola più bella e drammatica di quella della royal family, non si fanno convincere lo stesso. Resta il fatto ineluttabile che Diana non c'è più: se ne va ad appena 36 anni, con tutta una vita davanti e due figli ancora piccoli, di 15 e 12 anni. La notizia dell'incidente arriva al castello di Balmoral all'una di notte: una telefonata da parte dell'ambasciata britannica di Parigi. Nonostante la tarda ora, la regina, Filippo e Carlo vengono svegliati e informati: al castello si accendono le luci, nessuno va più a dormire. Ma Carlo, d'accordo con la madre, decide di non svegliare i figli. Lo fa solo alle 7 del mattino dopo. Non sappiamo con quali parole. Né sappiamo cosa ci sia nel suo cuore. Possiamo solo immaginare cosa ci sia nella sua testa: la paura di venire indicato come il responsabile. Con o senza una cospirazione, dicono e scrivono in tanti in quei giorni, se Carlo non avesse così platealmente tradito Diana con Camilla, se non fossero stati «in tre» in quel matrimonio, forse Diana non se la sarebbe sentita di lasciarlo e divorziare, non avrebbe avuto una storia con Dodi, dunque non si sarebbe trovata inseguita dai paparazzi, senza la scorta della polizia, quella notte in un tunnel di Parigi. E non sarebbe morta. Forse questi pensieri non calano subito nella mente del principe, ma è impossibile che non angoscino lui, suo padre e sua madre nei mesi a seguire.

Si è molto discusso sul comportamento della regina davanti alla morte di Diana. Perché rimane per giorni a Balmoral invece di tornare subito a Londra? Perché si limita a diffondere un breve comunicato in cui dice di essere «profondamente scioccata e provata da questa terribile notizia»? Perché non fa mettere la bandiera a mezz'asta in segno di lutto sul pennone di Buckingham Palace?

Ci sono risposte esaurienti a simili domande. Restando in Scozia, Elisabetta pensa di poter meglio proteggere William e Harry dal dolore per quello che è capitato: è questa la sua priorità. La regina ha fatto sempre così, per lutti britannici e di altre nazioni anche molto amiche, senza distinzioni, forse soltanto con l'eccezione per la morte di Churchill, ma anche in quel caso il suo stile è stato di non mostrare i sentimenti: il dolore è una questione privata, esibirlo in pubblico è eccessivo, anzi inappropriato, un atteggiamento populista. «*Never complain, never explain*», mai lamentarsi, mai dare spiegazioni, una massima attribuita a molte fonti, tra cui Henry Ford, il fondatore dell'omonima casa automobilistica americana, è stata da sempre la sua formula di vita. Per noi italiani, melodrammatici per indole, portati a disperarci ed esaltarci con grandi manifestazioni pubbliche di sentimentalismo, è difficile da capire: eppure l'*understatement*, il minimizzare tutto, nel bene e nel male, è forse l'aspetto chiave del carattere nazionale inglese, insieme e più del fair play, le regole uguali per tutti. Quanto alla bandiera a mezz'asta, è un segno di lutto riservato alla morte di un capo di Stato, come la regina medesima: non è mai stata abbassata per un altro membro della famiglia reale, tantomeno per l'ex moglie di un membro della famiglia.

Sono tutte spiegazioni valide, che aiutano a capire la psicologia di Elisabetta. Ma capire non significa giustificare. E il fatto che siano teoricamente valide non significa che, nelle circostanze in questione, siano giuste. Sono cambiati i tempi, la morte di Diana diventa un evento mediatico nazionale e poi mondiale, assume davvero i contorni della favola rosa in cui la principessa abbandonata dal principe azzurro finisce per morire non per una mela avvelenata ma per un destino ancora più crudele perché apparentemente dettato dal caso. Tutte le ragioni abituali della regina per mantenere il sangue freddo, insomma, stavolta non bastano. L'istinto che la serve sempre così bene in questo caso non funziona. Sotto sotto, la gente avverte anche qualcos'altro: la difficoltà di Elisabetta a manifestare emozioni, la freddezza che ha contraddistinto i rapporti con i figli, non per cattiveria d'animo, ma perché è stata educata così, come si veniva educati da generazioni nel castello dei re e delle regine d'Inghilterra. E poi c'è il Dna del suo carattere, timido, riservato, compassato.

L'uomo eletto proprio quell'anno a Downing Street capisce che la regina sta sbagliando. Al potere è arrivato un nuovo primo ministro, Tony Blair, un laburista dopo diciassette anni di governi conservatori tra Margaret Thatcher e il suo successore John Major: come la «lady di ferro» sarà anche lui artefice di una rivoluzione, più suadente però, aprendo il Regno Unito alla globalizzazione, creando un'etichetta, «Cool Britannia», la Gran Bretagna *cool*, che per un decennio conquista il mondo. Poi Blair rovinerà la sua reputazione con la scelta di entrare in guerra in Iraq accanto all'America di George W. Bush, ma in quel momento, nell'estate del 1997, è un leader con la bacchetta magica. Che non sbaglia una mossa.

Nel suo commento a caldo sull'incidente, forse su suggerimento di Alastair Campbell, il proprio brillante *spin doctor*, come si dice in gergo, ossia portavoce e direttore delle comunicazioni, definisce Diana «la principessa del popolo»: diventerà per sempre il modo in cui viene ricordata. Chiama la regina a Balmoral per fare le condoglianze alla famiglia reale. Vorrebbe dire alla sovrana di fare di più. Esita. Non è facile correggere Sua Maestà. Ma nei giorni successivi accade qualcosa senza precedenti. Gli inglesi perdono il loro *stiff upper lip*. Sembrano diventati, è il caso di dire, tutti italiani: piangono, si disperano, mostrano apertamente le proprie emozioni. Intorno ai cancelli di Buckingham Palace si radunano spontaneamente decine di migliaia di persone. Sconosciuti si abbracciano in lacrime come se fossero vecchi amici e parenti stretti della principessa. La gente si mette in coda per ore per firmare un libro di condoglianze. Ben presto le pagine non sono più sufficienti, i libri diventano quattro, poi quindici, alla fine sono trentaquattro.

I media, in genere rispettosi verso la regina, fiutano l'aria e cambiano linea. La BBC paragona il silenzio della famiglia reale a «ostriche che non vogliono vedere». I tabloid si chiedono perché Sua Maestà non parli. *Dimostrateci che vi importa qualcosa* titola il «Daily Express». *Che fine ha fatto la regina?* è il titolo del «Sun». *Il popolo soffre, Maestà faccia sentire la sua voce* scrive il «Daily Mirror». I quotidiani di qualità riportano un sondaggio secondo cui il consenso per la monarchia sta precipitando: dall'86 per cento raggiunto pochi anni prima è calato al 55.

Blair comprende che serve un suo intervento. Non per amore della monarchia in quanto tale, ma per amore delle istituzioni, di cui la monarchia è in Gran Bretagna il simbolo supremo. Telefona di nuovo alla regina: non per dare ordini, certo, e neppure consigli, ma per segnalare che la situazione è grave, quasi esplosiva. Poi chiama il principe Carlo, con il quale si sente meno a disagio a dire le cose come stanno, pregando che sia lui a intervenire sulla sovrana. E così avviene.

Elisabetta torna a Londra. Ordina che la bandiera venga messa a mezz'asta. Esce da palazzo reale, insieme al marito Filippo, andando a vedere di persona i bigliettini di condoglianze lasciati dalla gente lungo le inferriate insieme a mazzi di fiori: una montagna di fiori, che ormai ricoprono l'intero piazzale circostante. Scambia qualche parola con la folla dietro le transenne. Riceve a sua volta un mazzo di fiori da una donna. È seria, composta, dignitosa, come sempre, ma mostra finalmente il suo lutto. E due giorni dopo fa un discorso in tivù alla nazione per ricordare Diana. La descrive come «una persona eccezionale». Afferma che «nei momenti più lieti, come in quelli più tristi, è sempre riuscita a mostrarsi serena e sorridente e a ispirare gli altri con il proprio calore e la propria gentilezza». Nota che è stata in grado di «rendere felice tanta gente». E conclude: «La ammiravo e la rispettavo per la sua energia e per l'impegno con cui si dedicava agli altri, e soprattutto per la devozione che mostrava verso i figli. Sono convinta che ci sia molto da imparare dalla sua vita. Faccio mia la vostra determinazione a perpetrare il suo ricordo».

Con il suo fiuto per l'umore popolare, il premier laburista in un certo senso salva la monarchia. Nei sondaggi, il consenso per la regina torna a salire. I tabloid smettono di attaccarla. La piazza si placa. La crisi è superata. Elisabetta non dimenticherà più, tuttavia, quel premier impertinente: non tanto perché ha avuto la spudoratezza di darle degli ordini, quanto perché l'ha costretta ad andare contro il proprio carattere. Per ripicca, non lo inviterà al matrimonio di William e Kate. E lo farà aspettare fino al 2022 per nominarlo sir e assegnargli l'Ordine della Giarrettiera, che a orecchie italiane suona come un premio erotico ma è in realtà l'onorificenza più ambita ed elitaria del Regno Unito. Possiamo ipotizzare che si sia vendicata di Blair anche in altro modo: durante la rituale visita estiva del premier a Balmoral, gli riserva la stanza più fredda del castello. Poiché le estati in Scozia possono notoriamente essere gelide, Blair e la moglie Cherie battono i denti sotto le lenzuola. Ma proprio per questo, come confesserà più tardi l'ex first lady nelle sue memorie, marito e moglie si stringono uno all'altra e da quell'abbraccio notturno in cerca di calore, siccome lei si è dimenticata a Londra gli anticoncezionali, nasce il loro quarto figlio, evento che, portando per la prima volta dal 1849 un bebè nelle sale di Downing Street, accresce la popolarità del premier.

L'ultimo atto dell'addio a Diana è il funerale. La regina fa un'altra eccezione alla regola, concedendo esequie di Stato, in pompa magna, a Westminster Abbey. Un milione di persone riempiono le strade di Londra durante il passaggio del corteo funebre. L'affusto di cannone con la bara di Diana è trainato da sei cavalli. Le vie sono chiuse al traffico e vengono deviati da Londra perfino i voli aerei: nel silenzio supremo, si odono soltanto i singhiozzi della gente e il suono degli zoccoli dei cavalli sull'asfalto. Dietro la bara, allineati sulla stessa fila, camminano William e Harry, tra il padre Carlo, lo zio Charles Spencer, fratello di Diana, e il nonno Filippo. Anche sulla presenza di William e Harry al corteo si è discusso a lungo. Devono marciare per sei chilometri dietro il cadavere della loro mamma, tra due ali di folla, sforzandosi di non piangere. «Verrò io con voi» ha detto loro Filippo, per convincerli. Sono praticamente costretti ad accettare. Carlo ha lo sguardo imbarazzato: gli si legge in volto il senso di colpa. Il conte Spencer, fratello di Diana, ha uno sguardo arrabbiato, accusatorio: verso i paparazzi e verso la famiglia reale, che criticherà nelle successive interviste come responsabili ultimi della morte della sorella. Filippo è come sempre perfetto nella parte del capofamiglia: addolorato ma compunto. Molti anni dopo, Harry si lamenterà di quell'esposizione pubblica, dirà quanto male gli abbia fatto, rivelando di aver visto a lungo uno psicologo per uscire dalla depressione in cui lo hanno cacciato la tragica morte della madre e il confronto forzato con il dolore pubblico. Tutte cose di cui la nonna Elisabetta non può o non vuole rendersi conto.

Dentro la chiesa, 2000 persone pregano sui banchi: la famiglia reale al completo, tutti i membri del governo, i leader dell'opposizione, gli ambasciatori, dignitari venuti dall'estero, tra cui Hillary Clinton, la first lady americana, e la regina Noor di Giordania. Più di 30 milioni di persone assistono alle esequie, trasmesse in diretta dalla tivù. Il sermone dell'arcivescovo di Canterbury, così come l'intervento di Blair, vengono ritrasmessi all'esterno dagli altoparlanti.

L'ultimo a prendere la parola è il fratello di Diana: «Posso garantire a William e Harry che noi Spencer, la vostra famiglia di sangue, faremo tutto ciò che è in nostro potere per farvi proseguire nel percorso di amore e creatività costruito per voi da vostra madre». Suona come un *j'accuse* alla famiglia reale: quasi che William e Harry non portassero nelle vene anche il sangue dei Windsor. Il fantasma del maggiore Hewitt come vero padre di Harry alita sugli astanti. È come dire che i Windsor, cinici e freddi, sono incapaci di dare loro l'amore e la creatività di Diana. La folla, fuori dalla chiesa, applaude le sue parole: un altro segnale della crisi che avrebbe potuto scatenare la morte di Lady D, se la regina, su incitamento di Blair, non fosse corsa ai ripari. Gli storici diranno in seguito che avrebbe potuto perfino provocare il crollo della monarchia, i Windsor cacciati a sassate da palazzo reale come Luigi XVI e Maria Antonietta al tempo della Rivoluzione francese.

Dentro alla chiesa alcuni si uniscono all'applauso, tra cui William e Harry, troppo piccoli per comprendere appieno il significato ribelle delle parole dello zio. Ma è solo un momento. Subito dopo nell'abbazia risuonano le note solenni del *Requiem* di Verdi. Infine, il microfono passa a Elton John. Grande amico personale della principessa, il cantante reinterpreta il suo brano *Candle in the Wind*, con parole dedicate a Diana, descritta come una *English rose*, una rosa d'Inghilterra, espressione proverbiale per descrivere una giovane donna, pura, elegante e affascinante come un fiore.

Elisabetta spera di poter voltare pagina, ma per lei seguono altri lutti: nel 2002 muore sua sorella minore Margaret, precocemente stroncata da un infarto, ad appena 71 anni, dopo una vita di stravizi, fumo, alcol, uomini, festini con Mick Jagger a Mustique, l'isola *posh* dei Caraibi, ma sostanzialmente sempre infelice; e un mese dopo muore, a 101 anni d'età, la regina madre, che si chiamava Elizabeth come la figlia, una matriarca un po' arcigna, viziata e con la lingua lunga, che ha continuato a bere, divertirsi e andare alle corse dei cavalli fino all'ultimo. La regina non piange, perlomeno in pubblico, nemmeno al loro funerale. Versa qualche lacrima soltanto quando viene dismesso il *Britannia*, lo yacht reale su cui ha fatto tanti viaggi in giro per il mondo e nel quale conservava innumerevoli ricordi, inclusi un calumet della pace donato dai Sioux e un osso di balena recuperato da Filippo in Antartide: ma la cerimonia non è pubblica, nessuno la vede, lì può permettersi di rivelare le proprie emozioni. Il panfilo è vecchio, restaurarlo costerebbe troppo, comprarne uno nuovo sarebbe poco consono per la morale dell'epoca. Sì, i tempi cambiano, la commozione per Diana e il pensionamento del *Britannia* ne sono una prova: è iniziato un nuovo secolo, in cui è lecito rompere con la tradizione. E tra le novità che portano gli anni Duemila c'è il secondo matrimonio di Carlo: con Camilla, la donna che avrebbe voluto e probabilmente dovuto sposare per prima.

Chissà se Camilla Rosemary Shand, più tardi Camilla

Parker Bowles dopo il suo primo matrimonio, se lo sarebbe mai immaginato. Il sangue aristocratico lo ha ereditato dalla madre, figlia del terzo barone di Ashcombe. L'inclinazione al ruolo dell'amante potrebbe averlo preso da una bisnonna, che andava a letto con re Edoardo VII. Camilla non è bella come Diana, non ha la sua grazia. Eppure, i due amanti tengono duro, rimangono insieme durante la tempesta seguita alla morte di Lady D, cominciano ad apparire in pubblico. Hanno lo stesso amore per la campagna e per la caccia, lo stesso senso dell'umorismo, le stesse idee. Forse Camilla, non perché è un anno più vecchia di Carlo ma per inclinazione, risponde anche al bisogno di affetto materno che Carlo non ha mai avuto. Insomma, sono lo yin e lo yang reale, si intendono alla perfezione, non litigano mai.

A questo punto della loro vita sono finalmente entrambi liberi da vincoli matrimoniali, lei ha divorziato nel 1995, ora lui è anche vedovo. Nel 2000, Carlo presenta Camilla alla regina, che, sia pure a malincuore, a questo punto non può fare altro che approvare la relazione, consapevole che il figlio e suo erede non può rimanere solo per il resto della vita. Nel 2003 la coppia va a vivere insieme a Clarence House. Nel 2005 i tempi sono maturi per sposarsi, sia pure con rito civile e cerimonia ristretta, a Windsor. Più liberale della Chiesa cattolica, la Chiesa anglicana permetterebbe un matrimonio religioso, dopotutto Enrico VII l'ha fondata per potersi risposare in chiesa, ma i consiglieri di corte fanno notare che Carlo, quando diventerà re, sarà il capo della Chiesa d'Inghilterra, e visti i reciproci trascorsi adulterini suoi e della nuova moglie conviene non irritare i tradizionalisti.

Succede tutto in una gelida mattina di aprile. Officiata da una donna, la cerimonia al municipio di Windsor dura appena venti minuti, anche perché dopo di loro ci sono altre tre coppie da sposare. Niente abito nuziale, Camilla opta per un vestito azzurro di seta, Carlo è in completo scuro. Niente diretta tivù, anche se all'uscita non mancano telecamere e giornalisti, me compreso. Dentro ci sono solo una trentina di invitati: che differenza con le prime nozze di Carlo con Diana. La lista include Anna, Andrea e Edoardo, i fratelli di Carlo, con rispettivi consorti, William e Harry, figli dello sposo, e Tom Parker Bowles, figlio della sposa: William e Tom fanno da testimoni di nozze. William ha ricevuto il permesso dalla regina di farsi accompagnare dalla sua ragazza, Kate Middleton. Ci sono anche il premier Blair con la moglie Cherie, qualche testa coronata europea, qualche aristocratico, il banchiere Rothschild, il cantante Sting, il comico Rowan Atkinson, quello di Mr Bean, e due italiani: la marchesa Frescobaldi e lo stilista Valentino, amici della coppia. Grandi assenti: la regina e Filippo. Motivo poco chiaro: forse non sta bene andare due volte al matrimonio del proprio figlio.

Ma Elisabetta e il marito accolgono più tardi i novelli sposi e gli invitati per un ricevimento al castello, preceduto dalla benedizione nella cappella di St George, unico momento religioso, impartita dall'arcivescovo di Canterbury, Rowan Williams, scandita da questa formula recitata da entrambi: «Riconosciamo e lamentiamo i molti peccati che di tanto in tanto abbiamo dolorosamente commesso in pensieri, parole e atti, contro la maestosità divina, provocando giustamente l'ira e l'indignazione del Signore». Quasi un pentimento per l'adulterio. Solo per un attimo, attraversando la strada dal municipio al castello, Carlo e Camilla avvicinano la gente venuta a salutarli. Lei sprizza gioia. Raramente si è visto lui così contento. Ce l'hanno fatta, contro tutti i pronostici: un amore che dura da trentacinque anni è stato finalmente suggellato dal matrimonio, con l'approvazione di tutti, dalla regina, che vede in Camilla una possibile guida per Carlo, da Filippo, convinto che una donna forte come Camilla supplirà alle debolezze di suo figlio, da William e Harry, che con la matrigna sembrano avere un buon rapporto, anche perché Camilla ha l'intelligenza di non volersi in alcun modo sostituire alla loro madre.

D'ora in poi Camilla sarà chiamata Altezza Reale e duchessa di Cornovaglia: ma non principessa, perché quello era il titolo di Diana. In quel momento non si sa ancora se, quando Carlo diventerà re, la seconda moglie verrà chiamata regina, come vorrebbe l'etichetta: lei comunque fa sapere che non ci tiene. All'ultimo momento le nozze sono state rinviate di un giorno a causa della concomitanza dei funerali di papa Giovanni Paolo II in Vaticano. In questo modo, tuttavia, avvengono lo stesso giorno del Derby, la classica corsa di galoppo della stagione inglese: e in un sondaggio la gente dice che preferirà seguire i cavalli piuttosto che il matrimonio reale. In realtà, non c'è una vera possibilità di scegliere tra i due eventi: il matrimonio non è trasmesso in tivù. Carlo e Camilla sono felici lo stesso, ma il rinvio sembra una prova di più, secondo i superstiziosi, della sfortuna del principe.

Dopo avere assistito al secondo matrimonio del padre, William comincia a pensare al proprio. Passano sei anni tra le nozze in sordina, quasi nascoste, di Carlo e Camilla, e quelle in mondovisione di William e Kate, nell'aprile 2011. Ecco un evento che Elisabetta può festeggiare come si deve. Nel frattempo si è consolidato internet, sono nati i social media, tutto è pronto per due giovani che rinnovano la monarchia, destinati a essere il futuro re e la futura regina: l'annuncio del fidanzamento ufficiale arriva infatti prima su Twitter e poi su Facebook. Catherine Middleton rappresenta davvero una rivoluzione: è la prima *commoner* della storia, la prima non aristocratica, ovvero plebea, a sposare colui che sarà re. E che plebea: viene da una stirpe di minatori. Una storia che sembra davvero quella di una moderna Cenerentola. «Dal pozzo di una miniera di carbone a palazzo reale, in appena tre generazioni» commentano i giornali. Con una clamorosa coincidenza.

Gli antenati di William, infatti, erano proprietari della miniera in cui estraevano carbone gli antenati di Kate. Nel 1821 un ventisettenne di nome James Harrison arriva a Durham in cerca di lavoro e viene assunto nella miniera di sir Francis Bowes-Lyon, nobiluomo, possidente e antenato di Elisabetta II. Com'è la vita di un minatore inglese dell'Ottocento? Breve e dura: buio, fame, malattie e il pericolo costante di morire sottoterra. Come abitazione, una gelida catapecchia. Eppure, un posto in miniera è desiderato da molti: è pur sempre un lavoro, con la promessa di un salario sicuro e migliore, mentre in Inghilterra sboccia la Rivoluzione industriale che cambierà il mondo. James trascorre in miniera tutta la sua esistenza. Anche suo figlio John fa il minatore. Ed è minatore anche il nipote, chiamato John pure lui, spedito a spalare carbone ad appena 16 anni, dopo che entrambi i genitori sono morti di tubercolosi. Del resto, i padroni delle miniere ritengono che non abbia senso far perdere tempo a scuola ai giovani operai e che già dai 12 anni possano imparare il mestiere sottoterra. Di generazione in generazione, nel 1904 a Durham nasce Thomas Harrison, trisavolo di Catherine Middleton: ha 14 anni quando suo padre muore nelle trincee della seconda guerra mondiale. Il ragazzo viene affidato al nonno materno, che invece di spedirlo in miniera con i suoi coetanei lo prende con sé nella sua bottega di carpentiere come apprendista. Thomas impara, si sposa, si trasferisce a Sunderland e poi a Londra, nel 1935 gli nasce una figlia, Dorothy, che una volta cresciuta si sposa con un giovane collega del padre, il muratore Ron Goldsmith. È il 1953: guarda caso, le loro nozze si celebrano due mesi dopo l'incoronazione di Elisabetta II. Sembra la fiaba del principe e il povero, due destini paralleli che non dovrebbero mai incontrarsi. Invece si incontreranno.

Dorothy sarà anche figlia di un carpentiere, ma è ambiziosa e determinata a elevarsi socialmente, al punto che gli amici, per prenderla in giro, la chiamano «lady Dorothy». Figurarsi, ma quale lady: è una popolana. Due anni più tardi, nel 1955, mette al mondo una bambina, Carole, e da madre ambiziosa vuole per la figlia tutto ciò che non ha avuto lei. Anche grazie al suo bell'aspetto, come viene richiesto all'epoca, nel 1975 Carole è assunta come hostess della British Airways: incredibile, i suoi nonni lavoravano sottoterra, lei lavorerà in cielo! A bordo conosce uno steward, Michael Middleton, nel 1980 si sposano, nel 1982 nasce la primogenita Catherine, poi altri due figli. E nel 1987, ispirati dalle tante feste di compleanno a cui sono invitati i loro bambini, i coniugi Middleton hanno un'idea: fondano una piccola società di gadget, regalini e materiale per i party dei più piccini. L'iniziativa, intrapresa come secondo lavoro, ha un tale successo che ben presto lasciano entrambi il posto sicuro nella British Airways. Nel giro di un decennio diventano abbastanza ricchi da poter comprare una villa nel Berkshire, non lontano dal castello di Windsor, altra coincidenza, e da mandare Catherine, detta Kate, a studiare al Marlborough College, costosa scuola privata femminile, dove la ragazza apprende l'accento e le maniere della *ruling class*, la classe dirigente, due materie importantissime in una nazione che, se da un lato predica e incoraggia dal tempo della Thatcher l'ascesa sociale, dall'altro rimane profondamente classista.

La scuola di élite e i soldi di mamma e papà permettono a Kate di iscriversi alla St Andrews, esclusiva università scozzese, dove tra i compagni di corso, alla facoltà di storia dell'arte, c'è il principe William. Lui dopo un anno cambia, iscrivendosi a geografia, ma i due giovani fanno amicizia, si innamorano, si mettono insieme. Una love story che dura otto anni, con un'interruzione di dieci mesi nel 2007, quando entrano in crisi, non si verrà mai a sapere esattamente perché – la pressione di essere la ragazza dell'erede al trono, le tentazioni che girano attorno a lui –, ma sono cose che succedono fra ragazzi della loro età. Lasciandosi, capiscono ancora meglio di avere bisogno l'uno dell'altra. E siccome l'impressione è che lei abbia lasciato lui, anche questo giova all'unione: è la prova, per William, per suo padre e soprattutto per sua nonna, la regina, che questa *commoner* non è in cerca di un piatto ricco in cui ficcarsi.

A Hetton, nella contea di Durham, la miniera di carbone nel frattempo ha chiuso. Nei pub del posto, gli avventori non hanno più la faccia nera di carbone. Ma quando vengono a sapere che la discendente di uno di loro sta per sposare un discendente del padrone della miniera, per di più erede al trono, brindano contenti a quello che sembra un cambiamento epocale. «Non immaginavo che una come Kate venisse da un posto come questo» dice una giovane disoccupata alla BBC. «Be', vuol dire che abbiamo tutte una chance di sposare un principe. Anch'io.» Queste sì che sono annunciate come le nozze del secolo. Ma di un secolo nuovo, più spigliato, irriverente. «Ci prendiamo molto in giro a vicenda», confida lei sbarazzina nell'intervista televisiva di rito. «Mi rimprovera ancora per il poster di un'attrice che avevo attaccato al muro della mia camera di studente alla St Andrews» le fa eco lui. Una distanza siderale rispetto alla gelida intervista di Carlo e Diana una trentina d'anni prima. Da palazzo reale, Elisabetta guarda anche lei l'intervista. Il primo contatto fra la sovrana e Kate è buono. A Filippo piace subito: per forza, è una bellissima ragazza. Ma piace anche a Elisabetta, che augura al nipote di avere trovato la felicità mancata a suo figlio Carlo.

Un milione di persone nelle strade, 35 milioni davanti alla tivù in Gran Bretagna, 750 milioni nel resto del mondo assistono al grande evento, raccontato da seimila giornalisti accreditati, incluso il sottoscritto. Quando tutto è finito, se ne vanno su un'Aston Martin decapottabile, con lui alla guida, i palloncini colorati a forma di cuore attaccati al portabagagli e «JUST WED», appena sposati, sulla targa, direzione un aeroporto per prendere un volo privato verso le Seychelles, dove passeranno la luna di miele. L'entrata in scena era stata immutabile, un omaggio alla tradizione. L'uscita è da commedia romantica, mai vista una cosa simile a un matrimonio reale: ma la regina, di ottimo umore, l'accetta di buon grado.

Something old, something new, qualcosa di vecchio, qualcosa di nuovo, titola l'editoriale del «Times» di Londra sul royal wedding, alludendo al proverbio su cosa dovrebbe indossare come portafortuna una sposa. Il motto è anche la metafora di questo matrimonio, di ciò che dovrebbe produrre l'innesto nella famiglia reale di una borghese figlia di una hostess e pronipote di minatori: lo sposalizio di un'antica monarchia con la modernità, l'augurio che questa giovane coppia rinnovi la Corona e trovi il modo di darle un senso nel XXI secolo di internet, il tentativo di trasformare una vecchia fiaba in reality show, senza perdere la pompa e il cerimoniale che nessuno sa mettere in scena meglio degli inglesi, ma aggiungendovi una spruzzata di trasgressione e ironia. Anche per questo, saggiamente consigliata dai suoi segretari, Elisabetta approva le nozze.

Nella storica abbazia di Westminster dove si sposò e diventò regina sua nonna, dove sua madre Diana ha ricevuto l'estremo saluto e dove lui stesso un giorno sarà incoronato re, William Arthur Philip Louis di Windsor ascolta una formula arcaica, immutata da secoli: «Vuoi tu sposare questa donna, amarla, confortarla e onorarla, nella buona come nella cattiva sorte, finché morte non vi separi?», e senza esitazione, con voce profonda, replica in un soffio: «*I will*», sì, lo voglio. Tradizione rispettata. *Something old.*

Eppure, qualche attimo prima, quando Catherine Elizabeth Middleton, universalmente nota come Kate, lo raggiunge davanti all'altare, William rompe il silenzio del protocollo parlandole d'istinto con l'intimità di una passione che in otto anni evidentemente non si è intiepidita: «*I love you, you look beautiful*», ti amo, sei bellissima. Mai un erede al trono aveva salutato la promessa sposa con un linguaggio così schietto, semplice, da ragazzi di tutti i giorni, per di più nel suo caso in diretta davanti a 2 miliardi di telespettatori, che possono benissimo leggergli la frase sulle labbra. *Something new.* Le labbra di Elisabetta rimangono serrate per tutta la cerimonia, ma gli occhi le brillano di soddisfazione: la speranza che questo erede abbia scelto la moglie adatta.

William è in uniforme di gala rossa delle Irish Guards, Kate in abito bianco disegnato da Sarah Burton, l'allieva di Alexander McQueen, ispiratasi all'abito nuziale di Grace Kelly, la scomparsa principessa di Monaco. Al loro fianco Harry, *best man*, testimone dello sposo, in uniforme blu dell'Household Cavalry, e Michael Middleton, padre della sposa, in tight e cilindro. Philippa detta Pippa, sorella minore di Kate, tiene lo strascico, stretta in un abitino osé che la fa immediatamente eleggere da Twitter «reginetta sexy» della giornata e migliore «lato B» del regno, suscitando perfino voci di una sua possibile love story con Harry:

ma arriveranno, al riguardo, le prossime puntate della telenovela. Subito dietro la regina in tailleur giallo canarino, il principe Filippo, il principe Carlo con Camilla, e Carole Middleton, la madre della sposa. E poi gli altri figli della regina, Andrea, con le figlie, le principessine Eugenia e Beatrice, così goffe in assurdi vestitini e peggiori cappellini da sembrare le sorellastre a cui il principe preferisce Cenerentola; la principessa Anna; e il principe Edoardo, l'unico ancora felicemente sposato fra la prole della regina. Quattro figli, tre divorzi, è il bilancio per Sua Maestà: ovvio che guarda ora William e Kate con trepidazione.

William infila a Kate la fede al dito, con qualche difficoltà. Lei non la mette a lui, che non porterà l'anello, pare non gli vada: su questo non c'è uguaglianza, ma la sposa perlomeno si rifà astenendosi dal giurargli obbedienza come previsto dalle antiche formule di nozze. L'organo intona *Guide Me, O Thou Great Redeemer* (Guidami, o mio grande redentore), lo stesso inno suonato per i funerali di Diana. «Se qualcuno ha qualcosa da dire contro questo matrimonio, parli ora o taccia per sempre» ammonisce l'arcivescovo di Canterbury, ma nessuno apre bocca trai 1900 capi di Stato, teste coronate, leader politici e vip presenti (chissà se la sovrana o almeno Filippo fanno mentalmente gli scongiuri), per cui subito dopo il capo spirituale della Chiesa anglicana dichiara William e Kate «*man and wife*», marito e moglie. Gli sposi sfilano davanti al neoeletto premier David Cameron, che ha riportato i conservatori al potere dopo tredici anni di governo laburista fra Blair e il suo successore Gordon Brown, a Elton John con il marito, perché intanto è diventata legge anche il matrimonio gay, al calciatore David Beckham e alla moglie Victoria, ex cantante delle Spice Girls, considerati la coppia più glamour d'Inghilterra, tanto che la loro megagalattica villa di campagna è ironicamente ribattezzata dai giornali «Beckingham Palace»: ma ora sono stati surclassati anche i Beckham, c'è una nuova coppia con più glamour di loro.

Fuori li attende la carrozza scoperta e perfino qualche raggio di sole: i meteorologi hanno fortunatamente sbagliato a prevedere pioggia. Un milione di persone festeggia gli sposi lungo il tragitto fino a palazzo reale. Sul balcone di Buckingham Palace si scambiano un breve bacio e poi un secondo, più lungo, dopo che all'esitazione di lui risponde lei facendogli segno di baciarsi di nuovo. Sembrano disinvolti, allegri, innamorati, felici. Anche il novantenne principe Filippo, di cui è notoria la passione per le belle donne, sembra contento, ritrovandosi a chiacchierare con Pippa, la sorella di Kate. Sfrecciano in cielo gli aerei della seconda guerra mondiale: *something old*. Poi i Tornado che in quei giorni bombardano la Libia: *something new*. La regina serve tartine e champagne a 600 ospiti, quindi lascia per una notte la sua casa a William e Kate, del resto un giorno diventerà casa loro, e va a passare il weekend al castello di Windsor. La sera, Carlo offre una cena ai 300 amici intimi e parenti della coppia, dopodiché palazzo reale si trasforma in una discoteca dove marito e moglie ballano scatenati fino all'alba con gli amici. Qualcosa di vecchio, un antico castello, e qualcosa di nuovo, la disco music, per celebrare una favola eterna: l'amore.

Una favola che fino a quel momento ha tagliato fuori Harry. Rispetto al fratello maggiore, è sempre stato lo scavezzacollo della famiglia. Svogliato e poco brillante a scuola: a Eton, il college dei re e dei futuri primi ministri, si fa passare i compiti e scrivere le tesine dai suoi istitutori, finendo comunque per diplomarsi con voti bassi. Più intrepido e pronto a correre pericoli, anche perché a William, futuro re, è proibito rischiare la vita: arruolato nell'esercito, promosso sottotenente – con il nome di Wales per non attirare troppe attenzioni, sebbene ovviamente i suoi commilitoni sappiano benissimo chi è –, Harry si distingue nei corsi di addestramento e insiste per essere mandato a combattere in Afghanistan, da dove viene richiamato due mesi prima della scadenza del suo *tour of duty* quando i tabloid inglesi scoprono dov'è e sbattono la notizia in prima pagina. Se restasse al fronte, attirerebbe l'attenzione dei talebani ed esporrebbe a più attacchi i suoi compagni di reggimento. Tra la scuola e le armi, finisce sui giornali anche per motivi meno nobili: ubriachezza con rissa in una discoteca *posh* di Londra, spinelli a un party, una partita a strip poker, il gioco di carte in cui a ogni mano che perdi devi toglierti un indumento, nella quale rimane completamente nudo e viene fotografato in terrazza in atteggiamento intimo con una ragazza. E poi lo scandalo peggiore di tutti, quando va a una festa in maschera indossando l'uniforme delle SS naziste.

Tutti incidenti che imbarazzano la regina, la cui disapprovazione viene fatta sentire al nipote ribelle. Anni dopo anche lei capirà che questi comportamenti eccessivi, pur essendo in parte attribuibili alla spacconeria dell'età sommata all'ambiente privilegiato *superposh* a cui Harry appartiene, sono in non piccola misura il prodotto del trauma sofferto per il cattivissimo divorzio dei suoi genitori e soprattutto per la morte dell'adorata madre. Forse c'entra anche essere il numero due, il «pezzo di ricambio» dinastico, ovvero il fratello minore, una posizione non facile per tutti i secondi nati, ancora più difficile se il fratello maggiore è destinato a diventare re. Un'altra differenza rispetto a William è che Harry cambia partner a ripetizione. Due però sono di lunga durata e fanno pensare a un possibile matrimonio: Chelsy Davy, figlia di un ricco uomo d'affari bianco dell'ex colonia britannica dello Zimbabwe, con la quale rimane cinque anni, e Cressida Bonas, attrice e fotomodella, nipote del conte Howe. Le due giovani donne vagamente si somigliano: bionde, magre, raffinate e ben inserite nello stesso ambiente frequentato da Harry.

Poi succede qualcosa. In primo luogo, Harry è maturato: ha 32 anni, non è più un ragazzo ribelle, il lungo servizio militare lo ha reso un uomo, più disciplinato e stabile. In secondo luogo, nel frattempo William si è sposato con Kate e ha cominciato a sfornare figli. A dispetto di possibili rivalità subconsce, i due fratelli si amano molto: la tragedia che li ha colpiti li ha uniti per sempre, sembrerebbe. Harry non solo è contento del matrimonio di William, al quale ha fatto da testimone, ma si è anche affezionato enormemente a Kate, che ha per lui una reciproca simpatia: «È la sorella che avevo sempre desiderato avere» dice Harry. Passa molto tempo insieme a loro, anche perché sono i suoi vicini di casa, abitano tutti in grandi appartamenti a Kensington Palace, il palazzo antistante i Kensington Gardens dove vivevano da piccoli con Diana: vedere accanto a sé questo nucleo familiare felice gli fa desiderare qualcosa di analogo. Con Cressida, più che con Chelsy, ci avrebbe fatto un pensierino, ma è lei, giovane attrice, donna indipendente, che forse non se la sente del tutto di rinunciare alla carriera per attenersi alle regole e agli impegni di un membro della famiglia reale.

Harry è pronto per un incontro importante, ha l'età giusta, la condizione mentale giusta, e l'incontro avviene, a casa di amici: con Meghan Markle. Diversissima dalle altre due: è americana, è birazziale, di madre afroamericana e padre bianco, è divorziata, è una nota attrice di Hollywood e ha anche tre anni più di lui, differenza che in altre coppie non avrebbe necessariamente importanza ma nella famiglia reale sì. Eppure, è amore a prima vista. Si conoscono nel luglio 2016. Quell'estate i paparazzi cominciano a fotografarli insieme. A novembre il principe diffonde un comunicato lamentandosi già dei commenti falsi e discriminatori nei confronti della sua ragazza che appaiono sulla stampa e sui social media. Quello stesso mese, il principe Carlo annuncia l'*engagement* del figlio con Meghan: il fidanzamento ufficiale. Che in Inghilterra è una faccenda molto seria, diversamente dall'Italia, dove tutti dicono del proprio boyfriend o della propria girlfriend «siamo fidanzati»: a Londra no, è l'impegno formale che precede il matrimonio, accompagnato dalla consegna di un anello, proprio come nelle fiabe, e da inserzioni in un'apposita pagina del «Times». Rompere un *engagement* è quasi come divorziare, insomma, ma Harry e Meghan non ci pensano minimamente.

La notizia del fidanzamento è accolta con gioia dalla famiglia reale. La regina è contenta di vedere anche Harry sistemato: si è preoccupata per le sue passate disavventure e per i suoi eccessi come si preoccupava per quelli della sorella Margaret, che un po' rivede nel carattere esuberante e sbarazzino, fuori dalle regole, del nipote. Ha per lui un debole: perché è il più piccolo, perché ha la sua stessa ironia, forse anche per quei capelli rossi che, sotto sotto, alludono al sospetto che non sia figlio di Carlo. Insomma, Elisabetta capisce che Harry ha più bisogno di protezione di William. Ha perso la mamma a 12 anni e a 32 pare averne trovata un'altra nella trentacinquenne Meghan. Certo, a palazzo reale il fidanzamento suscita anche il brivido di un *déjà vu*: i Windsor hanno già avuto a che fare con una divorziata americana, Wallis Simpson, il cui amore con re Edoardo provocò una grave crisi nella monarchia e l'abdicazione del sovrano. Corsi e ricorsi della storia: senza quella divorziata americana, Elisabetta non sarebbe mai diventata regina. E ora nella saga dei Windsor arriva un'altra divorziata americana, per certi versi molto più ingombrante, perché è anche un'attrice di Hollywood, protagonista di *Suits*, una serie televisiva di grande successo, in cui la si vede coinvolta in varie vicende amorose. Le foto osè, come si diceva una volta, nel suo caso abbondano. Ma l'innesto di un'americana nera nella famiglia reale, scrivono i biografi di corte, è quello che ci vuole per rinnovare e modernizzare la dinastia, per rendere la royal family finalmente multirazziale, più simile ai propri sudditi e a un mondo globale che cambia.

Colore, glamour, Hollywood: Meghan sembra l'investimento giusto per «la Ditta», il soprannome con cui viene chiamata la famiglia reale. E poi la giovane donna è bellissima, simpaticissima, spigliata: anche troppo, bisognerà insegnarle l'etichetta. Ma imparerà, o almeno si spera. In ogni incontro di Harry con la gente, tutti vogliono stringerle la mano, toccarla, parlarle: e lei, abituata al tappeto rosso di cinema e tivù, reagisce come una perfetta, è il caso di dire, attrice. Anche William e Kate sono entusiasti: vedere insieme le due coppie dà il senso di un nuovo capitolo nella storia dei Windsor. Già si fantastica se un giorno *The Crown*, il serial sulla famiglia reale che ha conquistato il mondo, racconterà anche questa hollywoodiana parte della storia.

Così, nonostante qualche brutto pensiero condiviso solo con il principe Filippo, la regina dà la sua benedizione alle nozze. Che si tengono nella cappella di St George, all'interno del castello di Windsor, il 19 maggio 2018, meno di due anni dopo l'annuncio del fidanzamento. È una splendida e rara giornata di sole, di vera primavera. Il treno che dalla stazione di Waterloo porta a Windsor è pieno zeppo fin dal mattino presto. Ci salgo sopra anch'io con il mio taccuino di cronista. Una folla immensa si raduna nella cittadina sul Tamigi per celebrare l'evento, teletrasmesso in diretta in tutto il mondo.

Tra un bruciante sermone alla Martin Luther King e il romantico ritornello pop di *Stand By Me*, fra George e Amal Clooney, coppia regina di Hollywood, e il cast al completo del serial televisivo *Suits*, il royal wedding di Harry e Meghan diventa lo spettacolo che la famiglia reale non aveva mai visto, perlomeno dentro uno dei suoi castelli: un matrimonio all'americana. Promettevano che sarebbe stato diverso dalle tradizioni, e per garantirlo bastava un'ex attrice californiana divorziata di madre nera come coprotagonista. Lei ci aggiunge un'affermazione di femminismo: niente promessa di «obbedienza» al marito (in verità se n'era astenuta anche Kate) e passerella solitaria lungo la navata della chiesa, facendosi accompagnare all'altare dal principe Carlo solo alla fine, un fatto senza precedenti per la monarchia britannica. Ma è il contorno che trasforma definitivamente le nozze reali in *happening gospel*: quando il reverendo Michael Curry, capo della Chiesa episcopale degli Stati Uniti, cita un famoso discorso del leader dei diritti civili assassinato a Memphis cinquant'anni prima – «scopriamo il potere redentivo dell'amore e trasformeremo questo vecchio mondo in un mondo nuovo» –, la St George's Chapel sembra varcare l'Atlantico e ricollocarsi nel sud degli Usa. Stavolta non è un'altra donna a «rubare la scena» alla sposa, come fece Pippa (di nuovo presente, ma in abito più morigerato) alle nozze della sorella Kate con William: la star della giornata è un elettrizzante vescovo nero.

«L'amore è forte come la morte» recita il religioso leggendo da un iPad. «Gesù ha cominciato il movimento più rivoluzionario della storia, un movimento fondato sull'amore» continua in un crescendo punteggiato di esclamativi, tipico dello stile dei predicatori d'America. «Immaginate un mondo in cui l'amore sia la via. La povertà finirebbe, la terra diventerebbe un santuario, poseremmo le nostre spade, non penseremmo più alla guerra.» Solitamente impassibile in pubblico, la regina sobbalza, come a dire: ma chi è questo? Mezza dozzina di teste reali si sporgono dai sedili per vedere meglio il focoso oratore. Elton John fa una smorfia di sorpresa. David Beckham rimane a bocca aperta. Perfino i due sposi, nominati da Sua Maestà duca e duchessa di Sussex, non trattengono un risolino fra l'attonito e il compiaciuto. Forse Justin Welby, arcivescovo di Canterbury e cerimoniere delle nozze, che aveva suggerito Curry per il sermone, non si aspettava un simile show. Ma ci sta bene, se il messaggio di questa unione è che la monarchia britannica deve modernizzarsi, unendo una nazione divisa dalla Brexit e incerta sul futuro.

Il *black preacher* venuto dagli States è la stella della giornata. L'altra novità non è tanto Meghan, bensì sua madre Doria Ragland: un'afroamericana autentica della classe media con piercing al naso, che fino alla settimana precedente faceva l'assistente sociale e l'istruttrice di yoga a Los Angeles e adesso, dopo una notte in una suite da 2000 sterline, si ritrova su una Rolls-Royce d'epoca a scortare la figlia verso uno sposalizio in mondovisione in un castello medievale. Prima delle nozze, la regina ha ricevuto e intrattenuto educatamente anche lei. Ma è un incontro *una tantum*, non la frequenterà mai molto, come del resto non frequenta i genitori di Kate Middleton: tutte persone di un altro ceto e con un'altra storia, troppo diversa dalla sua, riesce a parlarci per qualche minuto, poi non sa più cosa dire, si imbarazza. Ed Elisabetta detesta sentirsi in imbarazzo.

Nella fiaba del royal wedding bianconero trovano posto pure 100.000 spettatori dal vivo lungo le strade di Windsor (più 100 milioni davanti al video), 5000 giornalisti, 130 reti tivù (metà americane), 3000 poliziotti (con metal detector tra cui dobbiamo passare tutti, pubblico e cronisti), il bacio di Harry e Meghan all'uscita di St George, 2500 persone nei giardini del castello per il primo applauso all'uscita dalla cappella (in un film ci vogliono pure le comparse), la parata in carrozza scoperta, 600 vip invitati a pranzo dalla regina (con Elton che canta), 200 familiari e amici intimi invitati a cena dal principe Carlo.

Ma il fotogramma perfetto per riassumere l'evento è all'inizio della cerimonia, quando Harry e William, quest'ultimo nei panni di testimone rendendo il servizio al fratello, seduti vicini all'altare in attesa della sposa, si guardano intorno, bisbigliano, poi improvvisamente tacciono, forse assorti in un momento di commovente *déjà vu* di famiglia (reale).

Se si guardano attorno, cosa vedono in effetti i due fratelli? Davanti a loro, il padre Carlo con la seconda moglie Camilla. Poco più in là, Kate Middleton con i figli George e Charlotte, paggi perfetti. Lungo la navata, Meghan che procede felice verso una nuova vita. E, un po' più indietro, lo zio di Harry, il conte Spencer, fratello della scomparsa principessa Diana, la grande assente, il fantasma che aleggia su questo nuovo royal wedding.

Riuniti nello spazio di pochi metri, evocano i quattro matrimoni e un funerale che hanno cambiato la regina Elisabetta.

V
TRE RITRATTI

Elisabetta II è stata la regina più ritratta della storia. Merito del suo lungo regno, certamente: ha avuto più tempo di altri monarchi per mettersi in posa. Merito anche del soggetto: non solo per l'eccezionalità del personaggio, si vuole credere, ma anche per un volto che esalta la fantasia di chi lo ritrae. Alcuni biografi scrivono che Elisabetta era bella, anzi bellissima, da giovane. Esagerano, ma di sicuro ha una fisionomia particolare: una faccia che non passa inosservata, su cui il tempo, le esperienze, le gioie e i dolori, hanno scavato i tratti di una personalità interessante. Un grande scrittore inglese come Alan Bennett ha provato a entrare nella mente della regina, in un bel libro che è una specie di biografia romanzata, *La sovrana lettrice*, immaginando le letture preferite di Elisabetta: in realtà non ci ha preso, attribuendole gusti diversi dai suoi, che a detta di chi la conosce sono molto più classici, Jane Austen, Conrad, Dickens. Non c'è dubbio che fosse una donna intelligente, con uno spiccato senso dell'umorismo (ne riparleremo più avanti) e un'esperienza di vita senza pari, avendo incontrato tutti i grandi della terra per sette decenni. Ma è difficile capire cosa ci fosse dentro di lei. Un bravo pittore, come un bravo fotografo, è come uno psicoanalista, che scende nell'anima del suo soggetto. E questo mostrano i migliori ritratti di Elisabetta: la sua anima.

Non è un'impresa semplice, per due opposte ragioni. La

prima è che l'immagine di Elisabetta è dappertutto, specie in Gran Bretagna: perfino sulle banconote, sulle monete e sui francobolli, per cui i suoi sudditi la conoscono
a memoria, ce l'hanno praticamente sempre sotto gli occhi, perlomeno quelli di una certa età, perché i più giovani, nell'era in cui la posta è stata sostituita da email, mes-
saggini e chat, e il denaro contante dalle carte di credito,
non maneggiano più banconote, monete e francobolli.

La seconda ragione è che, così come è stata riservata
nelle apparizioni pubbliche, Elisabetta tratteneva e na-
scondeva le proprie emozioni anche quando si metteva
in posa per un ritratto, che si trattasse di un quadro o di
una fotografia. Queste ultime, quando sono foto di famiglia, scattate all'improvviso, rivelano a volte qualcosa della sovrana, cogliendo l'attimo fuggente: la più bella per
me è uno scatto del 1972, intitolato *The Queen aboard HMY
Britannia*, di Thomas Patrick John Anson, quinto conte di
Lichfield. La regina poggia i gomiti sul parapetto del suo
yacht, indossa un abito bianco con fiori colorati che le lascia le braccia nude, nessun gioiello, soltanto un orologio
al polso, occhiali scuri cerchiati di tartaruga stile più anni
Sessanta che Settanta. Non sta guardando l'obiettivo, non
si accorge che la stanno riprendendo, ha la bocca aperta
in una risata perché qualcosa, a terra, deve avere attirato
la sua attenzione e la diverte.

La foto sul *Britannia* è un ritratto molto più fedele di quello ufficiale di un grande fotografo, Cecil Beaton, che la riprende per l'incoronazione nel 1953: la corona in testa, lo
scettro in mano, un manto di ermellino che le scende dalle spalle fino ai piedi, uno sfondo di Westminster Abbey
chiaramente fasullo, ricreato nello studio fotografico: non
sembra nemmeno lei. Confrontando le due foto, è molto
più vera e più bella, quasi sexy viene da dire, nello scatto
casuale in cui ha 46 anni che in quello ufficiale in cui ne ha
venti di meno. Qualcuno che se ne intende, il critico di fotografia della BBC Holly Williams, sostiene che la foto più
capace di catturare la vera regina è un'immagine di Chris
Levine del 2004 in cui non si può dire che Elisabetta sia ve-

ramente in posa ma nemmeno che non lo sia: tra uno scatto e l'altro, per lasciarla riposare, Levine la autorizza a chiudere gli occhi, ma poi scatta anche quando la sovrana tiene gli occhi chiusi, e tale immagine permette di scrutarla dentro più di quella, peraltro molto efficace, in bianco e nero, che diventerà lo scatto ufficiale della sua sessione.

Ha gli occhi chiusi anche quando piange al Field of Remembrance, la cerimonia per i caduti di guerra, a Westminster Abbey, nel 2002, un'altra immagine iconica. Poi ci sono le foto trattate con la pop art di Andy Warhol, che l'hanno immortalata nello stile riservato a Marilyn Monroe, a Mao Tse-tung e alla lattina di zuppa Campbell, o il murale di Banksy su una parete di Bristol. E almeno centoquaranta quadri, ritratti ufficiali, conservati alla National Portrait Gallery di Londra e in altri musei, che le sono stati fatti sin da quando era bambina.

Di tutti, tre spiccano sugli altri e vale la pena soffermarcisi sopra.

Il primo è opera di un artista italiano: il fiorentino Pietro Annigoni, scomparso nel 1988 a 78 anni, soprannominato dalla stampa del suo tempo «il pittore delle regine». A dire il vero fece ritratti anche a molte persone comuni, ma il suo stile ispirato al più classico realismo dei maestri del Rinascimento, a cominciare da Leonardo da Vinci, in completa contrapposizione con il modernismo emergente, lo fece effettivamente diventare una sorta di pittore di corte nella famiglie reali e nell'aristocrazia di tutta Europa per una classe di nobili che ci tenevano a venire ritratti con assoluta fedeltà, in immagini in cui erano perfettamente riconoscibili come in una fotografia, quadri da appendere al muro in castelli e antiche magioni accanto a quelli dei loro antenati e, in futuro, dei loro discendenti. Subito dopo la seconda guerra mondiale la sua fama di specialista della ritrattistica lo porta a Londra dove comincia a fare vari ritratti di membri della famiglia reale, fino a che, nel 1954, riceve l'ambita commissione di ritrarre la giovane Elisabetta, sul trono da appena due anni. È dunque uno dei primi ritratti della nuova sovrana.

Il lavoro si svolge nell'arco di cinque mesi in sedici sessioni in cui la regina si mette pazientemente in posa per ore. Annigoni, all'epoca quarantaquattrenne, non sa bene l'inglese, ma ha imparato il francese a scuola e conversa con Sua Maestà in quella lingua. Dice di averla trovata «gentile, semplice e spontanea», rimanendo colpito in particolare da un ricordo d'infanzia che la sovrana gli confida: di come da bambina rimanesse incantata a guardare la gente e le auto in strada, dalla finestra della sua casa di St James, affacciata sul Mall, quando ancora non sapeva che il destino l'avrebbe portata a diventare regina ma conduceva comunque una vita separata dalle persone comuni in quanto figlia del fratello minore dell'erede al trono. Questo particolare spinge il pittore italiano a raffigurarla appartata e lontana da tutto.

Il ritratto, a tempera, olio e inchiostro, oggi esposto alla Fishmonger's Hall, adiacente al London Bridge – una sala per convegni pubblici che qualche anno fa è stata teatro di un attentato terroristico, diventato famoso perché un criminale in libertà provvisoria ha strappato dal muro una zanna di tricheco e con quest'arma rudimentale ha affrontato e messo in condizioni di non nuocere il terrorista fino all'arrivo della polizia –, mostra la regina vista di tre quarti, in piedi, a capo scoperto, sulle spalle il mantello blu scuro dell'Ordine della Giarrettiera, sullo sfondo un paesaggio campestre immaginario. Ha un portamento regale, sembra assorta nei suoi pensieri, ma con una luce determinata negli occhi che ne rivela il carattere serio e forte anche in così giovane età. È insomma un'immagine rivelatrice di chi è e chi sarà la novella sovrana.

La National Portrait Gallery, dove viene inizialmente esibito, riporta che attira «una folla così fitta che dieci persone alla volta stanno una sopra l'altra per guardarlo, affascinate dal carattere idealizzato ma penetrante della regina» trasmesso dal quadro. Il critico del «Times» scrive che rappresenta «l'idea della monarchia, catturando la dignità e la bellezza di Sua Maestà». Con il passare del tempo e l'evolversi dei gusti, altri critici lo liquidano come una visione troppo romanticizzata e «dolciastra» della sovrana, ma al pubblico continua a piacere. Ed è piaciuto molto anche a Elisabetta e alla famiglia reale, tanto da spingere sua sorella Margaret a commissionare ad Annigoni anche un proprio ritratto, che apprezza talmente tanto da commuoversi. Molti anni dopo, nel 2013, riesaminando tutti i ritratti di Elisabetta, il critico del «Daily Telegraph» ritiene che quello del pittore fiorentino sia il «migliore di tutti, rivelando la dignità regale della sovrana ma al tempo stesso l'immagine di una bella giovane donna di 28 anni». L'opera, che apparirà anche sui francobolli e su una banconota, dà ad Annigoni un'immensa notorietà, facendogli in seguito ritrarre altri grandi personaggi dell'epoca, come papa Giovanni XXIII, John Kennedy e Alcide De Gasperi.

La soddisfazione della regina è tale che chiamerà a corte Annigoni un'altra volta, quindici anni più tardi, per un nuovo ritratto. Elisabetta è maturata: ha 43 anni, non è più una novellina nella parte, ma la madre di quattro figli e della nazione. Anche se pittore e soggetto si conoscono già, le sedute di posa sono ben diciotto, più numerose della prima volta. Come in quell'occasione, l'artista italiano rimane colpito dalla franchezza della regina. Questo è un aspetto che ha sempre sorpreso la gente, che quando la incontrava si aspettava di trovarsi davanti una sorta di divinità, non qualcuno che domandasse «come sta?» o chiedesse una tazza di tè alla servitù. Ma Annigoni nota in lei anche un cambiamento, fisico e temperamentale, che forse sarebbe sfuggito a chi la vedeva ogni giorno: il peso della corona, la maggiore consapevolezza del suo ruolo, la solitudine del comando, la sua rassicurante fermezza.

Il ritratto a tempera grassa la mostra di nuovo sola, con indosso il mantello rosso dell'Ordine dell'Impero Britannico, su uno sfondo bluastro che svanisce nel rosa di un tramonto. L'immagine è descritta dai critici come «monumentale, marmorea, severa, malinconica»: secondo l'*Oxford Dictionary of Art* ha meno successo popolare della prima e suscita addirittura uno stravagante atto di ostilità, quando all'inaugurazione, il 25 febbraio 1970, una donna tira una copia della Bibbia contro il quadro. Eppure, quella mostra viene visitata da ben 250.000 persone. La giovane, inesperta regina è diventata una monarca sicura di sé e del proprio compito, e il nuovo quadro di Annigoni, pur senza entrare fra i più noti e apprezzati, lo conferma.

Il secondo ritratto di Elisabetta passato alla storia è forse il suo più controverso. Nel 2000 palazzo reale decide di commissionare un ritratto della regina a Lucian Freud. Considerato il più grande pittore britannico vivente insieme a David Hockney, Freud è celebre per i suoi ritratti anticonvenzionali, oltre che per il fatto di essere nipote del padre della psicoanalisi, Sigmund Freud. Nel 1938 il grande scienziato era emigrato, o meglio, fuggito a Londra da Vienna con moglie e figli per sottrarsi alle persecuzioni razziali contro gli ebrei, dopo l'annessione dell'Austria alla Germania di Hitler: appena in tempo, perché quattro delle sue sorelle sarebbero poi morte nei campi di concentramento dell'Olocausto. Già malato di tumore, Sigmund Freud muore nel paese d'adozione l'anno seguente: la sua casa di Londra è ora diventata un museo.

Uno dei suoi figli, Ernst, diventa un famoso architetto. Lucian è il figlio di Ernst. Con Hockney e con Francis Bacon rivoluziona l'arte britannica affermandosi come pittore di fama mondiale. Il suo marchio di fabbrica sono proprio i ritratti, di volti e corpi dipinti a tinte fosche, brutali, surreali, grottesche, spesso completamente nudi, carichi di drammatico erotismo, con una predilezione per le donne obese. La sua ambizione è riprodurre nel ritratto la vita interiore del soggetto, pur distaccandosi completamente da un ritratto realistico: le sembianze vengono del tutto trasformate, ma in qualche modo il personaggio è comunque riconoscibile all'istante, davvero un miracolo dell'arte moderna. Sono ritratti di incredibile penetrazione psicologica: sarebbero certamente piaciuti a suo nonno Sigmund. Sono anche il risultato del rapporto che si crea tra artista e soggetto: con alcune delle donne ritratte, fra cui la top model Kate Moss, si dice che Freud abbia una relazione. Di relazioni, del resto, ne intrattiene moltissime, tanto da guadagnarsi la fama di avere cinquanta figli illegittimi. Ma ha anche relazioni omosessuali, formando un triangolo amoroso, negli anni Quaranta, con altri due artisti, Adrian Ryan e John Minton. Non fa fatica a mantenere una così vasta prole: nel 2008, tre anni prima di morire, vende uno dei suoi quadri più famosi all'asta per quasi 60 milioni di dollari, la cifra più alta pagata all'epoca per un artista vivente. In un certo senso, è il pittore più famoso del mondo. Per tutte queste ragioni si comprende, da un lato, perché la regina desideri farsi fare un ritratto da lui, ma, dall'altro, perché a Buckingham Palace ci siano dei timori su quale potrebbe essere il risultato.

Per dipingere, Freud rimane chiuso per giorni e notti nel suo studio, nudo tranne che per un lungo grembiule da macellaio macchiato di vernice: naturalmente, per la regina fa un'eccezione, indossa camicia e calzoni, ed è lui ad andare da lei, non il contrario. Ma non a Buckingham Palace, nella Yellow Drawing Room, la sala normalmente utilizzata per le pose della regina: Freud chiede e ottiene di incontrarla nel Friary Court Studio di St James' Palace, una sala più piccola e intima adibita al restauro dei quadri nella magione, di fatto un piccolo castello, che è la residenza privata del principe Carlo. Fa sedere la regina davanti a una parete vuota e la prega di posare con in testa il diadema di diamanti e al collo le perle con cui era comparsa sui francobolli e sulle banconote.

Tra il maggio 2000 e il dicembre 2001, la sovrana e il pittore si incontrano per quindici sedute. Per la regina sono tante. Per Freud sono poche, è abituato a lavorare ben più a lungo con i suoi soggetti: li guarda, li interroga, li disegna, qualcuno se lo porta a letto, alla fine gli sembra di esser riuscito a conoscerli, a entrare davvero nella loro anima. La sfida di farlo con Sua Maestà sicuramente lo eccita. A quell'epoca Freud ha 77 anni, Elisabetta 74: sono due coetanei, appartengono alla stessa generazione, hanno ricordi simili. Per quanto Freud sia incuriosito dalla regina, sicuramente anche la regina è incuriosita da quest'uomo così diverso da lei, così al centro di scandali e sentimenti viscerali. Parlano molto, anche troppo: ogni tanto lei tronca la conversazione, ricordandogli che devono finire il ritratto, anche perché, se per il pittore quella è l'unica occupazione, anzi quasi un'ossessione, lei avrebbe altre cose da fare. A volte tacciono, rimanendo immobili: Freud studia in silenzio il viso della sovrana, lei ricambia lo sguardo, silenziosa, ferma, impassibile. Due paia di occhi penetranti che si fissano intensamente.

Quando finalmente, a pochi giorni dal Natale 2001, Freud presenta a Buckingham Palace il frutto del suo lavoro, donato alla Royal Collection in occasione del Giubileo d'Oro, dunque dipinto gratuitamente, la reazione generale è di shock. I giudizi dei giornali sono negativi: «Un ritratto decisamente sgradevole» scrive il «Telegraph». «Sembra una parodia della regina» taglia corto il «Sun», il più popolare fra i tabloid scandalistici. «La regina ha un collo da giocatore di rugby» si indigna il «Daily Mail», altra voce della strada. La prima cosa scioccante è che il dipinto è piccolo, piccolissimo: 23 centimetri per 15, quasi un francobollo gigante. La seconda peculiarità è che è un primo piano, anzi primissimo, della regina: si vede soltanto il volto e un accenno delle spalle. La terza stranezza è che l'espressione è accigliata, quasi arrabbiata. E poi ha gli occhi socchiusi, la pelle ruvida, un mento mascolino, pare quasi che abbia la barba. In effetti, sembra un uomo travestito da donna.

Ciononostante, commenta il critico del «Guardian», dissentendo dai suoi colleghi, Freud ha colto l'essenza della natura determinata e ligia al dovere della sovrana, la sua forza d'animo, il suo stoicismo: «È il volto dell'esperienza». Hugh Roberts, direttore della Royal Collection, la collezione di palazzo reale, si limita a definirlo, con tipico *understatement* inglese, «un lavoro degno di nota», come dire che fa rizzare i capelli in testa tanto è diverso dai ritratti tradizionali. Ma Jennifer Scott, curatrice dei quadri della collezione, trova che Freud «sia riuscito a togliere la patina di cui per sua natura si riveste un monarca, riuscendo a ritrarre la persona che vi è nascosta al di sotto». In altre parole, l'essenza di Sua Maestà. La vera Elisabetta. Qualcuno ha scritto che il dipinto è il prodotto della lotta psicologica tra la regina e il pittore: non è chiaro quale dei due abbia prevalso. Altri, confrontando il quadro con un autoritratto di Freud dello stesso periodo, notano somiglianze incredibili fra le due figure, concludendo che l'artista ha ritratto la sovrana con la stessa spietata sincerità con cui ha ritratto sé stesso: l'ammissione che a un certo punto della vita non c'è più bisogno di trasmettere vitalità e potenza, quasi un presagio di prepararsi alla morte. Il tempo ha reso giustizia a Freud e anche alla scelta della regina di farsi ritrarre da un grande artista così anticonformista: il suo *Her Majesty the Queen* viene oggi considerato un capolavoro.

Ed eccoci al terzo ritratto di Elisabetta da non perdere. Sei anni più tardi, nel 2007, la regina decide di farsi ritrarre da un altro artista fuori dalla norma, ma stavolta non si tratta di un pittore, bensì di una grande fotografa: l'americana Annie Leibovitz, specialista nell'immortalare le celebrità del cinema, della canzone, dello sport, la cui foto di John Lennon nudo, sdraiato a terra accanto a Yoko Ono vestita, scattata a New York con una Polaroid cinque ore prima che il cantante venisse assassinato nel 1980, è diventata un'icona.

Non è l'unica foto di Leibovitz entrata nella storia. C'è quella dell'attrice Demi Moore, nuda, incinta, che si cinge l'enorme pancione con una mano, sulla copertina della rivista «Vanity Fair», per la quale la fotografa ha lungamente lavorato. C'è quella dell'attrice comica nera Whoopi Goldberg immersa in una vasca da bagno piena di immacolato latte. C'è il ritratto di Christo, l'artista che ricopre monumenti famosi nascondendoli alla vista, in questo caso sottoposto al medesimo metodo: completamente ricoperto, per cui si deve credere che sotto ci sia lui, ma con certezza non lo si può sapere. C'è la cantante country-western Dolly Parton che esibisce il seno siliconato mentre alle sue spalle l'attore e più tardi governatore della California Arnold Schwarzenegger flette i muscoli. C'è un famosissimo ritratto di John Belushi e Dan Aykroyd nella parte dei

Blues Brothers, con la faccia dipinta di blu. C'è Sting nel deserto coperto di fango per mimetizzarsi. C'è una Miley Cyrus quindicenne apparentemente in topless. E poi Bruce Springsteen, Michael Jackson, Bill Gates, Barack Obama, Johnny Depp, Lady Gaga, Rihanna, Kim Kardashian, Adele, Serena Williams, anche lei incinta come Demi Moore nello scatto di molti anni prima.

Alla spregiudicatezza delle immagini si aggiunge la vita spregiudicata dell'autrice. Annie Leibovitz ha avuto tre figlie, la prima, quando aveva 52 anni, nata da inseminazione artificiale e due gemelle da madre surrogata. Pur senza dichiararsi lesbica, ha avuto una relazione con la scrittrice Susan Sontag dal 1989 al giorno della sua morte nel 2004: non hanno mai vissuto insieme, tuttavia abitavano in case così vicine che potevano vedersi dalla finestra; una volta ha detto che il termine per meglio definire il loro rapporto era «amiche», ma poi ha preferito «amanti». In confronto a Cecil Beaton, il maestro della fotografia inglese che immortalò la regina il giorno dell'incoronazione, Leibovitz appare insomma per la casa reale una scelta non meno controversa di Freud, a dimostrazione che per Elisabetta rispetto per le tradizioni non significa necessariamente conservatorismo, perlomeno per quanto riguarda l'arte. È anche la prima volta che la regina si fa ritrarre da un artista americano. La foto, anzi, le foto, perché sono più di una, vengono rese pubbliche subito prima del suo decimo viaggio negli Stati Uniti, in questo caso ospite di George W. Bush.

A differenza che con Freud, l'incontro fra due personalità così diverse produce scintille. Forse non solo per colpa dell'artista e del suo soggetto: le sedute di posa, per altri impegni della regina e perché qualcuno ritiene, forse erroneamente, che a una fotografa serva meno tempo che a un pittore, durano soltanto venticinque minuti. La necessità di un supporto tecnologico, questa sì una differenza rispetto a un pittore che lavora da solo, richiede la presenza di una folta troupe, che si occupa delle luci e di altri dettagli. Leibovitz chiede che Elisabetta indossi la tiara della regina Mary, un collier di diamanti, un abito di satin bianco ricamato d'oro e lo stesso mantello blu dell'Ordine della Giarrettiera che aveva indossato per uno dei ritratti del pittore italiano Arrigoni. Il suo intento, sembra di capire da questi dettagli, è ricreare la regalità del celebre ritratto dell'artista fiorentino. Ma nella conversazione che precede la prima seduta, qualcosa che Leibovitz dice irrita la sovrana.

Il mattino dopo, la regina, in genere puntualissima, arriva in ritardo all'appuntamento, facendo aspettare la fotografa: forse un modo di rimetterla al suo posto. «Non ho molto tempo» l'avverte appena si vedono. La presenza della troupe la infastidisce. A un certo punto la fotografa le chiede di togliersi «la corona», intimandole come un ordine: «Meno formale!». Un documentario della BBC, girato in contemporanea alle sedute fotografiche per una serie intitolata *A Year with the Queen*, mostra Elisabetta che cammina in un corridoio di Buckingham Palace con uno dei suoi domestici, chiaramente indispettita, mentre dice: «Quella non è una corona, è una tiara! E non ho alcuna intenzione di cambiare abito, ne ho abbastanza di sedute come questa!». Poi però riprende il controllo, toglie la tiara, cambia l'abito.

L'immagine più famosa della sequenza di scatti la dipinge, è il caso di dire perché sembra un quadro, appunto senza tiara, con indosso un semplice mantello dai bottoni d'ottone, braccia e mani nascoste, sullo sfondo un cielo invernale e gli alberi spogli di palazzo reale.La foto è incredibile: ricrea effettivamente qualcosa del ritratto di Annigoni, aggiungendovi un effetto surreale simile a quello del minuscolo dipinto di Freud. È come se avesse fuso lo spirito di quei quadri così diversi in un'unica immagine. Per quanto la chimica personale fra le due donne non abbia funzionato, proprio questo disagio forse contribuisce a trasmettere l'idea della vera Elisabetta: ha in volto un sorriso appena accennato, un'aria leggermente perplessa, come se si interrogasse sul senso della vita.

Nonostante le tensioni, il risultato deve essere piaciuto,

perché quasi un decennio più tardi, nel 2016, in occasione del proprio novantesimo compleanno, la regina convocherà di nuovo Annie Leibovitz per un altro ritratto, stavolta insieme al principe Filippo. È una delle loro ultime immagini ufficiali insieme, si vedono solo i volti e le spalle, la regina ha soltanto due orecchini di perla e nessun altro gioiello, indossa una semplice camicia con un golfino rosa, suo marito una giacca di tweed, una camicia rosa e una cravatta verde, risplendono gli occhi azzurri di entrambi ed entrambi hanno un sorrisino, a bocca chiusa quello di Filippo, mostrando appena i denti superiori quello di Elisabetta, che sembra dire: ebbene sì, siamo noi e siamo ancora qui.

VI

LA DITTA

I media inglesi hanno coniato un termine per identificare la famiglia reale nel suo complesso: «the Firm», la Ditta. Come se i Windsor fossero il consiglio d'amministrazione di una grande azienda. Un po' lo sono in effetti, un'azienda, con costi e guadagni che vengono attentamente analizzati dai media e discussi dai commentatori, non senza frequenti polemiche. Il presidente esecutivo o amministratore delegato, insomma il capo, è stata a lungo la regina, ma hanno avuto voce in capitolo anche gli altri. Tre dei quali sapevano già che, un giorno, sarebbe toccato a loro dirigere la compagnia. Ognuno contribuisce, in diversa misura, al bilancio della società. Anche per questo, quando si racconta la vita di Elisabetta II, è necessario allargare il campo a tutta la sua reale famiglia: perché la corona britannica, sebbene posata su una sola testa, la sua, è una storia di gruppo, un romanzo corale, un collettivo.

La domanda principale che molti si fanno è se la Ditta della monarchia sia un buon affare per il Regno Unito. La risposta deve considerare entrate e uscite, come per qualunque società. I finanziamenti alla famiglia reale provengono da due diverse fonti. La prima è il Fondo sovrano: in sostanza la somma che il governo ha versato per sette decenni alla regina per il suo ruolo di capo di Stato, per il mantenimento delle sue due residenze ufficiali – Buckingham Palace e Windsor, più Kensington Palace, dove risiedono altri membri della famiglia reale –, incluso il salario di centinaia di dipendenti, e per i viaggi che la sovrana ha compiuto in patria e all'estero. In pratica, il suo stipendio. Era piuttosto alto, rispetto ad altri capi di Stato e anche rispetto ad altre teste coronate, che regnano con uno stile più dimesso: il re di Danimarca notoriamente esce dal suo castello di Copenaghen in bicicletta, senza scorta, e in modo simile si comportano i re d'Olanda, del Belgio, di Norvegia e di Svezia, per citare altre monarchie europee. Ma chi li conosce, i re scandinavi? Nessuno. Perlomeno, ben pochi vanno a visitare le loro splendide nazioni attirati dalla personalità, dai palazzi reali e dalla storia dei rispettivi sovrani. Elisabetta, invece, era conosciuta da tutti: è stata la regina più famosa del mondo. E milioni di turisti sono venuti a Londra ogni anno, attirati fra le altre cose dal cambio della guardia davanti a Buckingham Palace. Anche questo era parte del lavoro di Elisabetta: fare da calamita del turismo e di tutto il business che gli gira intorno. Un aspetto del suo incarico che va sempre ricordato, quando si considera il salario che riceveva in cambio dallo Stato.

Il Fondo sovrano le versava mediamente 86 milioni di sterline l'anno, pari a circa 100 milioni di euro. Sono i profitti che arrivavano dal Crown Estate (attenzione, la stagione non c'entra nulla: *estate* in inglese significa «proprietà»), ovvero la Proprietà della Corona: un vasto portafoglio di immobili e terreni con un valore di oltre 15 miliardi di sterline, che un tempo apparteneva direttamente alla monarchia ma adesso è posseduto dal ministero del Tesoro e che produce utili a seconda delle oscillazioni del mercato.

La seconda fonte di entrate per Sua Maestà era il ducato di Lancaster, una proprietà privata della famiglia reale dal 1399, situata tra l'Inghilterra e il Galles, che consiste di 18.000 ettari di terreno al cui interno si trovano campi per l'agricoltura, fattorie, case, società commerciali e edifici storici. Il ducato di Lancaster ha un valore complessivo di 577 milioni di sterline e produce un profitto annuo di circa 22 milioni: nelle tasche della regina andavano a finire anche questi, sui quali non sarebbe stata obbligata a pagare le tasse (è uno dei privilegi di cui godeva, contestati dalla minoranza filorepubblicana della popolazione), come invece dal 1993 ha deciso volontariamente di fare. Con questi soldi, Elisabetta dava e in sostanza regalava uno stipendio ad altri membri della sua famiglia, in particolare ai figli Anna, Andrea e Edoardo. Non al marito Filippo, che riceveva un fondo a parte dallo Stato, come consorte del capo di Stato, ma relativamente piccolo: 300.000 sterline l'anno.

La regina Elisabetta disponeva anche di altre proprietà: appartengono alla sua famiglia il castello di Balmoral in Scozia e la residenza di Sandringham nel Norfolk, mentre Buckingham Palace e Windsor appartengono allo Stato. Si dice che Balmoral fosse la «casa» più amata della regina, forse perché è la più isolata e selvaggia, dunque quella in cui si sentiva più libera di muoversi senza i freni dettati dalla sicurezza, ma pure per i ricordi della sua infanzia e giovinezza legati a quel luogo incantevole. La sorte ha voluto che proprio Balmoral fosse il luogo in cui Elisabetta ha esalato l'ultimo respiro, come vedremo.

Il castello e i 200 chilometri quadrati di territorio che lo circondano furono acquistati dal principe Alberto, marito della regina Vittoria, nel 1852 e da allora passano da un monarca all'altro. Il parco privato contiene mandrie di cervi, di mucche delle Highlands e di pony. Anticamente c'era solo un casino di caccia utilizzato dal re di Scozia, ma la regina Vittoria e il marito si innamorarono della zona durante una visita a Edimburgo e la acquistarono da un nobile scozzese, facendo costruire un castello sui ruderi di un secolare maniero. Oggi l'edificio è considerato un magnifico esempio di architettura baronale e figura nella lista dei monumenti nazionali. Vittoria e Alberto ne mantennero lo stile scozzese nelle strutture e nell'arredamento, un'abitudine proseguita dai loro eredi fino a Elisabetta e Filippo: quest'ultimo non mancava mai di indossare il kilt durante le lunghe permanenze estive a Balmoral. La proprietà comprende circa 150 edifici, inclusi gli alloggiamenti per uno staff di 50 dipendenti a tempo pieno e un altro centinaio assunti solo nei mesi estivi, quando la regina e la sua famiglia vi soggiornavano. Gran parte del territorio è aperto al pubblico, che può visitarlo senza restrizioni: a qualcuno è capitato perfino di incontrare la regina a passeggio, con situazioni talvolta divertenti, come racconterò più oltre. È qui che Elisabetta ha imparato ad andare a cavallo e a caccia di fagiani e di cervi, e ha sviluppato il suo amore per la natura. Dopo la morte di Filippo, quando la regina ha diffuso una foto per ricordarlo, non è un caso che ne avesse scelta una che li ritrae insieme, su un prato di Balmoral, in un momento spontaneo e privato che rifletteva la sua vera indole.

Se Elisabetta trascorreva un paio di mesi a Balmoral durante l'estate, in inverno passava un paio di mesi a Sandringham, la magione nella contea di Norfolk, a nord-est di Londra, dove si trasferiva ogni Natale. Anche a questa grande casa patrizia era molto affezionata, perché ci è nato e morto suo padre, re Giorgio VI, che a sua volta la considerava la residenza preferita. Grazie a un territorio molto esteso, sebbene sia meno della metà di quello di Balmoral, è stata un luogo ideale per sviluppare due passioni della sovrana: l'allevamento di cavalli da corsa e quello di cani da caccia. Dal punto di vista architettonico, Sandringham non è esente da critiche, perché riunisce due stili differenti dando l'impressione di scarsa armonia, ma vanta bellissimi giardini e un lago dove la regina fin da piccola si divertiva ad andare in barca. Soprattutto è il luogo in cui il 25 dicembre Elisabetta riuniva la famiglia, per andare a messa e per pranzare insieme: una tradizione a cui la gente del posto ha sempre assistito all'uscita della piccola chiesa locale e a cui la regina teneva a non mancare, finché ha potuto camminare sulle sue gambe. Del parco fanno parte vari cottage, in uno dei quali il principe Filippo è andato a vivere quando si è ritirato dalla vita pubblica alla bella età di 98 anni. Dopo la sua morte, per commemorarne la scomparsa, anche la regina trascorreva una notte nello stesso cottage.

Oltre a queste due sontuose proprietà immobiliari, Elisabetta aveva ereditato beni per 70 milioni di sterline alla morte della madre; era nominalmente proprietaria di una fantastica collezione di francobolli e della Royal Collection, più di 7000 opere d'arte che non possono essere vendute ma che producono guadagni grazie all'acquisto dei biglietti per andarle a vedere, anche se questi soldi vengono spesi per il mantenimento, la sicurezza e il personale della collezione medesima. E poi aveva i suoi cavalli da corsa, che vincevano spesso e le procuravano premi in denaro oltre a grandi soddisfazioni.

Fatte tutte le somme, nel 2022 il «Sunday Times», nella sua lista annuale delle mille persone più ricche del Regno Unito, ha attribuito a Elisabetta un patrimonio di 370 milioni di sterline (pari a più di 400 milioni di euro), un po' meno di Elton John, che la superava con 395 milioni, un po' più di George e Amal Clooney, che la inseguivano a quota 315. Quando il giornale domenicale londinese pubblicò la prima edizione, nel 1989, la regina era la persona più ricca di Gran Bretagna. Poi sono arrivati i petrolieri russi, gli sceicchi arabi, i magnati dell'acciaio indiani e alla fine Elisabetta non entrava nemmeno fra i primi duecentocinquanta. Ha messo insieme più soldi J.K. Rowling con sette romanzi su Harry Potter che Elisabetta II con sette decenni di corona sulla testa. Ma anche questi sono calcoli opinabili. Il mensile economico americano «Forbes», per esempio, stima il valore globale della monarchia britannica in 17 miliardi e mezzo di sterline, l'equivalente di 8 miliardi di euro: una cifra per arrivare alla quale bisogna sommare alla fortuna pubblica e privata di Elisabetta anche quelle di tutti gli altri membri della Ditta.

Il principe Carlo, finché è stato l'erede al trono, ha avuto la proprietà del ducato di Cornovaglia, un altro vasto possedimento di 54.000 ettari, situato nell'omonima regione nell'angolo sudoccidentale dell'Inghilterra ma pure in altre contee: in tutto sono 3500 fra terreni, in gran parte adibiti a fattorie, e immobili. Creato nel 1337, il ducato ha un valore di 1 miliardo di sterline e produce profitti per 29 milioni di sterline l'anno, con i quali Carlo manteneva sé e la moglie Camilla, oltre a passare un salario al figlio William e alla sua famiglia. Lo passava anche a Harry, ma come quest'ultimo ha reso noto in una famosa intervista dopo aver scelto di andare a vivere in California, il padre lo ha ora «completamente tagliato fuori dal punto di vista finanziario», il che lo ha inizialmente costretto a vivere con i proventi, pari a circa 10 milioni di sterline, delle proprietà ereditate dalla madre Diana. Nemmeno 10 milioni sono pochi, beninteso, ma Harry si è lamentato degli alti costi per la sicurezza sua, della moglie e dei figli: in ogni caso si è rifatto in fretta, firmando insieme a Meghan contratti con Netflix, Spotify e altri giganti digitali stimati tra 100 e 200 milioni di dollari solo per i prossimi cinque anni, quindi nemmeno lui dovrebbe avere problemi, come si suole dire, ad arrivare alla fine del mese, vedi l'acquisto di una villa da 14 milioni di dollari nel più esclusivo sobborgo di Santa Barbara.

Facendo i conti in tasca a tutta la famiglia reale, a Camilla vengono attribuiti 5 milioni di sterline di patrimonio, alle principesse Beatrice ed Eugenia, figlie del principe Andrea e della sua ex moglie Sarah Ferguson, 10 milioni di sterline ciascuna (ma Beatrice, dopo aver sposato il conte italiano Edoardo Mapelli Mozzi, è diventata probabilmente assai più ricca: la villa del suocero, in Lombardia, è più grande di Buckingham Palace), a Kate Middleton 10 milioni (ma i suoi genitori, con Party Pieces, l'azienda di materiale da festicciole per bambini, ora online, hanno un patrimonio di 50 milioni di sterline, che lasceranno a lei, alla sorella e al fratello). Quando è morto, il principe Filippo aveva una fortuna personale di 30 milioni. Il principe William ha ereditato dalla madre 70 milioni di sterline. Meghan Markle, ancora prima di sposare Harry, aveva proprietà per 6 milioni di sterline. Prima di diventare re, il principe Carlo valeva da solo 100 milioni. Oggi ne vale molti di più: morendo, la madre gli ha lasciato in eredità tutta la propria fortuna. E lui ha lasciato a sua volta in eredità il ducato di Cornovaglia a suo figlio William. Il tutto *tax free*, perchè la famiglia reale è esentata dal pagare la patrimoniale.

Anche i costi di una repubblica sono alti: il Quirinale ha

un budget di 365 milioni di euro l'anno. Ma, a differenza del Quirinale, secondo varie stime la monarchia britannica attira nel Regno Unito visitatori e guadagni per un indotto pari a 2 miliardi di sterline l'anno. A parte che un lavoro Elisabetta lo ha svolto, firmando leggi, assegnando titoli nobiliari, tagliando nastri e stringendo mani a migliaia di cerimonie l'anno, coadiuvata in queste mansioni dal resto della famiglia, la Ditta rende bene al proprio popolo e al proprio paese. I repubblicani di ferro sostengono però che i costi effettivi sono molto più alti: aggiungendo le spese di manutenzione per i palazzi e soprattutto per la sicurezza del sovrano e dei membri della royal family, si arriverebbe a una spesa di 750 milioni di sterline l'anno.

Qualcuno, come Jeremy Corbyn quando era leader del Partito laburista tra il 2015 e il 2020, è arrivato ad accusare Elisabetta di avere evaso o almeno eluso il fisco perché alcuni investimenti del ducato di Lancaster sono tenuti in conti offshore alle isole Cayman, come rivelato da uno dei tanti dossier delle gole profonde della finanza. La risposta di palazzo reale è stata che la regina pagava tutte le tasse previste dalla legge, e anche quelle non previste, visto che non sarebbe stata obbligata. In ogni caso, le accuse contro la monarchia non rendono bene: quando Corbyn ha perso le elezioni del 2019 contro Boris Johnson, una delle cause stabilite dai sondaggi era che gli elettori gli rimproveravano di non essere monarchico. Corbyn in effetti non lo è: rifiutava perfino di cantare l'inno nazionale, pur di non pronunciare le parole «Dio salvi la regina». Ma, così facendo, non s'è salvato lui e ha perso il posto, bollato dal popolo, anche quello tradizionalmente laburista, come «poco patriottico». Difficile diventare primo ministro, nel Regno Unito, criticando per qualsiasi ragione Sua Maestà. Lei peraltro era notoriamente parsimoniosa: finché la salute glielo ha consentito, andava in giro per Buckingham Palace a spegnere la luce nelle stanze. E, considerato che sono settecentocinquanta, dev'essere stata una bella ginnastica.

VII

LA SOVRANA VIAGGIATRICE

Elisabetta è stata il monarca che ha viaggiato di più nella storia. Un record facile da realizzare, da un certo punto di vista: prima del 1952, quando lei salì al trono, re e regine si spostavano poco, per non parlare dei loro sudditi, che tranne una ristretta élite non lo facevano per niente. Il mondo è cambiato, non solo per la famiglia reale. Ma sono stati gli inglesi a inventare i viaggi, con il Grand Tour di Lord Byron verso le capitali della cultura classica in Italia e Grecia nel primo Ottocento: era destino che il primato di viaggiatrice toccasse a un re o una regina d'Inghilterra.

È anche questo che ha reso Elisabetta così popolare lontano da casa, letteralmente in tutto il mondo: perché è stata in quasi tutto il mondo. In sette decenni di regno ha fatto 270 viaggi all'estero, visitando 110 nazioni, in 6 continenti. A dire il vero aveva già cominciato a viaggiare ancora prima di salire al trono: nel febbraio 1947 accompagnò il padre Giorgio VI, la madre e la sorellina Margaret nel loro primo viaggio ufficiale insieme, tre mesi nelle colonie britanniche del Sudafrica e della Rhodesia, più un mese in mare sulla nave da guerra *Hms Vanguard* per raggiungere le coste africane. Fu un viaggio istruttivo per lei. L'Impero britannico esisteva ancora, ma stava cominciando il declino: la fine della guerra aveva accelerato l'era post-coloniale, l'India avrebbe ottenuto l'indipendenza cinque mesi più tardi. Elisabetta aveva 21 anni e cominciava a capire l'importanza del Commonwealth, l'organizzazione che avrebbe rimpiazzato l'Impero creando un legame economico e culturale tra Londra e le ex colonie. Il suo secondo viaggio fu nell'ottobre 1949, per seguire Filippo a Malta, dove il marito prestava servizio come ufficiale della Marina britannica. E il terzo, di nuovo in Africa, in Kenya, prima tappa di un grande tour che il padre malato le aveva affidato in sua rappresentanza: il viaggio che la vede partire principessa e tornare regina, come abbiamo raccontato nei capitoli precedenti.

I viaggi di quell'epoca erano in gran parte per mare e per questo duravano molto. Il primo che Elisabetta fa nel ruolo di regina è nel 1953: un tour di cinque mesi e mezzo nei paesi del Commonwealth, una circumnavigazione del globo lunga 7000 chilometri fra aereo e nave. È la prima volta che un monarca britannico compie il giro del mondo e ci vogliono ben più dei proverbiali 80 giorni del romanzo di Jules Verne. Le statistiche dicono che nel corso del periplo la giovane regina sente parlare 286 lingue, ascolta 508 esecuzioni di *God save the Queen*, tiene 102 discorsi e riceve 6700 inchini.

L'itinerario è il seguente. Insieme a Filippo parte in aereo per un volo di dieci ore fino all'isola di Terranova, dove si ferma per fare rifornimento, riparte per un altro volo di cinque ore e mezzo fino all'isola di Bermuda, da dove prosegue in nave per la Giamaica. Sempre in nave, con un tragitto di tre settimane, arriva lungo tutti i Caraibi fino al canale di Panama, lo attraversa, entra nel Pacifico e raggiunge all'altro capo del mondo le isole Figi. Qui sorseggia senza scomporsi una bevanda realizzata con le radici polverizzate di una pianta, lubrificate con la saliva dagli indigeni prima di offrirla all'illustre visitatrice. Riparte con destinazione Tonga, dove la regina Salote le fa da guida portandola in giro su un tipico taxi nero londinese che usa come propria auto personale, di fatto una delle poche automobili della sua remota nazione, e la celebra con un banchetto in cui le due regine siedono vicine, a terra, mangiando il cibo con le mani. Da Tonga alla Nuova Zelanda, da dove trasmette

via radio il discorso di Natale al suo popolo, poi l'Australia, infine Ceylon, le isole Cocos nell'oceano Indiano, da
quelle in Uganda, dall'Uganda alla Libia, dove a Tobruch
sale sul *Britannia*, lo yacht reale appena finito di costruire,
a bordo del quale compie il viaggio di ritorno a casa attraverso il Mediterraneo, lo stretto di Gibilterra e lungo le coste atlantiche di Spagna, Portogallo e Francia per arrivare
alla foce del Tamigi e risalirlo fino a Londra. Non si viaggia più così, con quel ritmo, con quella lentezza.

Sette decenni più tardi, in occasione del Giubileo di Platino del 2022, un'azienda di traslochi internazionali prepara una mappa interattiva di tutti i viaggi di Elisabetta.
Se ne ricava che ha visitato il Canada 27 volte e l'Australia
19. È stata il primo sovrano britannico ad andare in Russia,
in Cina e in Malesia. Spicca il viaggio del 1979 in Medio
Oriente, dove ha visitato Kuwait, Bahrein, Arabia Saudi-
ta, Qatar, Emirati Arabi Uniti e Oman: paesi non abituati
a vedere una donna che comanda, ma ha conquistato tutti
anche lì, sfruttando la comune passione per i cavalli. E con
l'occasione è salita anche in groppa a un cammello. In India nel 1961, peraltro, è salita su un elefante, seduta su un
baldacchino reale accanto al primo ministro Nehru. Ha incontrato i maori, gli eschimesi e i Sioux. Ha bevuto il tè sotto una tenda di pelle di capra al sito archeologico di Petra
in compagnia della regina di Giordania. Ha camminato sulla muraglia cinese. Ha visitato Madre Teresa a Calcutta e
papa Giovanni Paolo II in Vaticano. Ha continuato a viaggiare fino all'età di 94 anni, facendo in tempo a presenzia-
re al settantesimo anniversario dello sbarco in Normandia,
in Francia, nel giugno 2014, e a recarsi a Malta nel 2015, con
Filippo, per una commemorazione molto più privata: il periodo passato insieme sull'isola, prima di diventare regina,
quando lui era un ufficiale di Marina e lei per seguirlo aveva lasciato i figli piccoli a Londra.

Papa Wojtyła è solo uno dei cinque pontefici che ha incontrato. E quello per fargli visita in Vaticano è uno dei cinque viaggi che compie in Italia. Il primo, nel 1951, ancora
da principessa, a un anno dall'inattesa ascesa al trono: non

è una visita ufficiale, ma insieme a Filippo incontra il nostro primo presidente della Repubblica, Luigi Einaudi, che la invita a colazione al Quirinale, e papa Pio XII in Vaticano. Come Lord Byron due secoli prima, Elisabetta rimane affascinata dal Colosseo e dai Fori Imperiali, vestigia dell'antica civiltà romana, poi assiste a una partita di polo e festeggia proprio a Roma il suo venticinquesimo compleanno con un ricevimento a Villa Adriana a Tivoli.

Dieci anni dopo torna nel nostro paese da regina, accolta dal presidente Giovanni Gronchi, che già conosce perché come presidente della Camera aveva guidato la delegazione italiana ai funerali di suo padre, Giorgio VI. Questa volta si tratta di un viaggio ufficiale, con un banchetto di gala in suo onore al Quirinale e un'udienza privata con un nuovo papa, Giovanni XXIII, in Vaticano: la prima volta dal 1923 che un monarca britannico, capo della Chiesa anglicana, viene ricevuto da un pontefice, considerato che nell'incontro con Pio XII lei era ancora una principessa. Ne approfitta per visitare anche la Sardegna. Passano altri vent'anni prima che torni in Italia, nel 1980, per una visita di Stato in Vaticano, dove appunto incontra Giovanni Paolo II. Il viaggio successivo è nel 2000, quando fa tappa anche a Torino, Venezia, Firenze e Milano, dove Riccardo Muti dirige un concerto in suo onore alla Scala. L'ultima visita è del 2014, per una colazione offerta dal presidente Giorgio Napolitano, che parla un ottimo inglese ed è un appassionato anglofono.

Ci sarebbe venuta anche più spesso, in Italia: sembra che le piacesse molto. Ma per non scontentare nessuno, doveva alternare le destinazioni. Così come alternava gli inviti a Londra ai capi di Stato stranieri. Quanti ne ha incontrati, in oltre settant'anni! Anche in questo caso, li ha conquistati tutti.

Nel 1956, riceve a Windsor il nuovo leader sovietico, Nikita Krusciov, che due anni prima ha rimpiazzato Stalin, e il suo primo ministro Nikolaj Bulganin. Da alleati contro il nazismo nella seconda guerra mondiale, i russi sono diventati di nuovo l'avversario dell'Occidente nella guerra fredda. Con le maniere brusche di un contadino ucraino, Krusciov nei suoi viaggi internazionali ha lasciato spesso tutti esterrefatti: una volta, all'Assemblea generale delle Nazioni Unite, per manifestare dissenso verso il discorso dell'oratore che stava parlando in quel momento, si era tolto una scarpa e l'aveva battuta rumorosamente sul banco davanti al suo posto. Ma con la regina, il leader comunista diventa mansueto come un agnellino: «Sembra una delle giovani donne che si incontrano nel centro di Mosca» scriverà nelle sue memorie. «È gentile, pacata, per nulla pretenziosa. Non ha l'altezzosità che ci sarebbe da aspettarsi da una regina. Ai miei occhi appare soprattutto come una moglie e una madre.»

Di leader russi ne ha poi incontrati altri, dal ministro degli Esteri Andrej Gromiko, soprannominato dagli americani «Mister Nyet» perché diceva sempre di no, ma che con lei e con Filippo dice anche qualche sì e risulta perfettamente amabile, a Mikhail Gorbaciov, ultimo presidente dell'Unione Sovietica, dal quale accetta un invito a recarsi a Mosca: la prima volta che un monarca britannico mette piede in Russia dall'eccidio dello zar Nicola II, cugino del nonno di Elisabetta, fucilato dai bolscevichi con tutta la famiglia dopo la rivoluzione del 1917. Con Gorbaciov la regina si incontra per la prima volta a Londra, quando il leader della perestrojka ha un colloquio con Margaret Thatcher per convincerla di essere davvero deciso a riformare il comunismo. La sovrana ne approfitta per invitarlo a Windsor, dove durante un pranzo in onore dell'ospite, a base di caviale e salmone, acconsente a ricambiare la visita al Cremlino. La data esatta per il viaggio, tuttavia, viene lasciata nel vago, perché Sua Maestà ha già l'agenda piena e, quando finalmente c'è tempo per partire, l'Urss è crollata, Gorbaciov ha dato le dimissioni e al suo posto c'è Boris Eltsin: la visita avviene nel 1994 ed è un successone lo stesso.

Sono a Mosca come corrispondente del mio giornale, in quei giorni, di cui ricordo l'episodio potenzialmente più controverso: Eltsin, in linea con il suo carattere esuberante, forse anche sospinto dall'alcol per il quale ha una predilezione, bacia la mano della regina a una rappresentazione di *Giselle* al Teatro Bolshoi. Secondo il protocollo è severamente vietato toccare Sua Maestà, figuriamoci posare le labbra su qualunque parte del suo corpo. Ma la sovrana fa sapere di avere «apprezzato il gesto galante» del presidente russo. Per l'occasione, Elisabetta fa trasportare a Mosca una delle sue Rolls-Royce, a bordo della quale attraversa la capitale russa: un modo sottile per sottolineare che, alla fin fine, in Russia ha vinto il capitalismo.

Memorabili sono anche i suoi incontri con i leader americani, dal repubblicano Eisenhower, l'ex comandante in capo delle forze americane in Europa durante la seconda guerra mondiale, che aveva conosciuto da principessa alla fine del conflitto e rivede da regina quando Ike è diventato presidente, al democratico John Kennedy, che riceve a Buckingham Palace due anni prima che venga assassinato a Dallas: al banchetto è presente anche la first lady Jacqueline, che aveva seguito come giornalista l'incoronazione di Elisabetta nel 1953, restando affascinata dalla giovane regina, ma stavolta si lamenta della serata a palazzo reale, giudicando la sovrana «fredda» e Filippo «noioso». Impressione passeggera, tuttavia, perché quando Jacqueline torna a trovarla, qualche anno dopo la tragica morte del marito John, rimane toccata dal calore di Elisabetta nei suoi confronti e rivede completamente il proprio giudizio.

Il presidente americano con cui la regina lega di più è probabilmente Ronald Reagan, con il quale scopre di condividere il senso dell'umorismo: una battuta di Elisabetta durante la cena in onore dell'ospite a Buckingham Palace lo fa letteralmente sganasciare dalle risate. E con Ronnie, come lo chiamano gli americani, ha un'altra cosa in comune: l'amore per l'equitazione. Reagan ha imparato ad andare perfettamente a cavallo quando era un attore di film western, sia pure di serie B, e ha mantenuto la passione anche quando si è dato alla politica: tiene due cavalli nel suo ranch in California, dove passa le vacanze durante la sua presidenza facendo lunghe cavalcate insieme alla moglie Nancy. Nel corso della visita a Londra, palazzo reale organizza una cavalcata a due nel parco di Windsor per Reagan e per la regina: è l'unico momento in cui rimangono veramente soli, senza nemmeno le guardie di scorta, che li seguono a distanza, e crea tra loro una simpatia reciproca che non finirà nemmeno quando il presidente, qualche anno più tardi, offenderà la regina mandando i Marine a invadere la minuscola isola caraibica di Grenada, dove un golpe ha insediato al potere una giunta comunista filocubana.

Poiché Grenada, comunisti al potere o meno, è un'ex colonia britannica e un paese membro del Commonwealth, Elisabetta lo considera un attacco contro un alleato del Regno Unito e per qualche ora non la prende bene: per quanto consapevole di non essere più a capo di un Impero, il legame con le ex colonie è per lei fortissimo, un modo di rimanere attaccata alla memoria di suo padre. Poi però la premier Thatcher le ricorda che qualche anno prima Reagan ha aiutato la Gran Bretagna a riconquistare le isole Falkland invase dall'Argentina, fornendo a Londra informazioni sui movimenti navali di Buenos Aires ottenute dai satelliti spia americani, nonostante i legami di Washington con un paese dell'emisfero americano teoricamente suo alleato. Per il Regno Unito, le Falkland sono simbolicamente molto più importanti di Grenada, senza contare che alla campagna per riprendersele ha partecipato anche il principe Andrea, il figlio prediletto della regina, e quindi in un certo senso Reagan ha contribuito a proteggerlo e a riportarlo in patria sano e salvo. Perciò l'incidente su Grenada viene rapidamente dimenticato.

Elisabetta sviluppa un buon rapporto anche con Barack Obama, che viene a trovarla a Londra in visita ufficiale nel 2009. Questa visita, come quella della regina a Mosca con Eltsin, suscita un incidente su cui i tabloid ricamano a non finire, quando Michelle Obama abbandona il protocollo e le cinge la schiena con un braccio, come per sorreggerla o abbracciarla. Di nuovo, come nel caso di Eltsin, la regina dimostra di non dare poi così importanza a questa obsoleta faccenda che è vietato toccarla, come se fosse una sorta di divinità, facendo sapere di avere interpretato il gesto come una dimostrazione spontanea di «affetto e rispetto» da parte della first lady americana. Ci mancherebbe che si offendesse, ma ha la buona grazia di dichiarare che non c'è poi niente di male a baciarle la mano, come fece il presidente russo, o cingerle le spalle, come ha fatto la first lady americana. Il che non vuol dire che incoraggi chiunque ad allungare le mani nei suoi confronti!

Passa qualche anno ed è il turno di Donald Trump di violare il protocollo, per ben due volte, durante una visita di Stato a Londra a cui tiene moltissimo: posa una mano sulla schiena della sovrana e poi cammina davanti a lei durante la cerimonia in cui viene ricevuto a Windsor. Questa volta non arriva nessuna precisazione da parte dei portavoce di palazzo reale. Il viaggio del presidente americano era stato rinviato più volte: la sua presenza viene giudicata imbarazzante per gli scandali di cui è protagonista negli Stati Uniti, dalla presunta manipolazione delle elezioni al dossier per ricattarlo su suoi rapporti con prostitute durante una visita a Mosca. Come che sia, l'episodio più rivelatore di cosa pensi la famiglia reale di Trump avviene al banchetto ufficiale a Buckingham Palace, quando la sovrana e Filippo, Trump e la moglie Melania accolgono gli invitati per salutarli uno a uno: a un certo punto sulla porta della sala appare la principessa Anna, figlia di Elisabetta e con un caratterino molto simile a quello del padre Filippo. La regina le fa un cenno con il capo, come per dire di avvicinarsi e salutare il presidente americano, ma Anna scuote la testa, trattiene a fatica un risolino e si allontana con altri ospiti, sottolineando che Trump non gode di tante simpatie presso la royal family.

Non deve essere stato facile nemmeno incontrare nel 2012 in Irlanda del Nord Martin McGuinness, vicepremier del governo autonomo nordirlandese ma soprattutto ex capo dell'IRA, l'esercito clandestino repubblicano responsabile dei trent'anni di guerra civile contro gli unionisti britannici e dunque anche dell'attentato in cui è morto l'ex viceré Mountbatten, il cugino della regina. La stretta di mano tra Elisabetta e l'ex comandante guerrigliero sottolinea l'importanza della riconciliazione fra cattolici e protestanti, ovvero tra indipendentisti e filobritannici, in Irlanda del Nord. Come disse il premier israeliano Rabin, prima di essere assassinato da un estremista ebraico contrario agli accordi con i palestinesi, la pace si fa con i nemici, non con gli amici: Sua Maestà se ne rende perfettamente conto. E proprio con un uomo che Londra giudica a lungo un nemico, o perlomeno un avversario di cui non fidarsi, Elisabetta stabilisce un legame unico.

Di tutti gli incontri con leader stranieri avuti dalla regina nella sua lunga vita, infatti, non c'è dubbio che i più straordinari siano stati quelli con Nelson Mandela. Il leader sudafricano avrebbe avuto qualche ragione per avercela con il Regno Unito: Margaret Thatcher si era sempre rifiutata di approvare le sanzioni contro il Sudafrica dell'apartheid, ufficialmente perché considerava l'African National Congress, il movimento di cui Mandela era a capo anche dalla sua cella di prigione, un simpatizzante dei regimi comunisti, e temeva che, se fosse andato al potere, avrebbe allineato il proprio paese con i nemici dell'Occidente. Il sostegno britannico verso il governo bianco della sua ex colonia poteva aver contribuito a prolungare l'apartheid, come sosteneva l'opposizione laburista, accusando la «lady di ferro» di complicità con un regime razzista. Ma quando Mandela, liberato dal carcere dopo una prigionia durata vent'anni, viene eletto presidente del Sudafrica e mette fine alla segregazione razziale, la regina è tra i primi a felicitarsi. Si dice che Elisabetta non fosse per nulla d'accordo con la sua premier nell'opporsi alle sanzioni contro il regime dell'apartheid sudafricano e che avrebbe voluto unirsi al voto di condanna del Sudafrica in cui 48 paesi membri del Commonwealth si sono schierati a favore, mentre il solo Regno Unito ha votato contro.

Il loro primo incontro è nel 1991, proprio a un summit del Commonwealth, in Zimbabwe. «La trovo in gran forma, Maestà, nonostante il suo fitto calendario di impegni» sono le parole con cui Mandela le dà il benvenuto, alludendo agli incontri che la regina deve avere con tutti i capi di Stato dei paesi membri dell'associazione. «Oh, mi restano ancora altri sedici presidenti da incontrare» è la spiritosa replica di Elisabetta. «Non le sembrerò tanto in forma quando avrò finito.» Ed entrambi scoppiano a ridere, rompendo il ghiaccio.

Mandela sembra provare genuina simpatia per un monarca che culturalmente non potrebbe essere più distante da lui. E la regina dà l'impressione di essere incantata da un leader che pare ammirare più di ogni altro fra i tanti capi di Stato e di governo stranieri con cui ha avuto a che fare. Pur avendo avuto vite così differenti, appartengono alla medesima generazione: Mandela ha soltanto otto anni più di Elisabetta. È una simpatia reciproca che traspare, qualche anno dopo, quando nel 1998 il leader sudafricano si reca a Londra per una visita di quattro giorni durante la quale ha l'onore di tenere un discorso davanti alle camere riunite del Parlamento britannico e dorme a Buckingham Palace come ospite personale della regina, sebbene non sia già più da due anni presidente del Sudafrica, avendo deciso di non ricandidarsi per ragioni di età e per avviare una transizione verso altri leader più giovani, che sfortunatamente non si riveleranno minimamente alla sua altezza. Al termine della visita, la regina lo invita a compiere un giro in carrozza, insieme, attraverso le strade di Londra. I segni di genuino affetto tra i due sono evidenti. Più volte si descrivono l'un l'altro, nei discorsi ufficiali, come «amici».

Il particolare più divertente di questa amicizia me lo ha raccontato Zelda la Grange, l'ex segretaria personale di Mandela, una giovane sudafricana bianca che veniva da una famiglia di razzisti, lavorava come dattilografa nell'ufficio di Willem De Klerk, l'ultimo presidente bianco del Sudafrica, e si aspettava di venire licenziata quando al suo posto è arrivato al potere Mandela. Il leader nero, invece, non solo la mantiene nell'incarico ma instaura con lei un rapporto d'amicizia, aiutandola a vincere i pregiudizi razziali e alla fine promuovendola come sua segretaria privata. Mandela era fatto così: pensava che tutti gli esseri umani, se esposti a un'influenza benigna, se aiutati a comprendere le ragioni altrui, siano in grado di cambiare. Quando Zelda è venuta a Londra, qualche anno dopo la morte di Mandela, per pubblicizzare il proprio libro di memorie, mi ha concesso un'intervista. Ed è stata lei a rivelarmi che Mandela era probabilmente l'unico leader al mondo che chiamava la regina per nome. «Ti trovo un po' dimagrita, Elisabetta» le dice nel loro ultimo incontro. «Perdere un po' di peso mi fa sentire meglio, Nelson» gli risponde la regina. Il duetto si ripete quando Mandela nel 2013 telefona alla regina per farle gli auguri per il suo ottantasettesimo compleanno. Ascoltando la conversazione al telefono, la moglie di Mandela commenta scandalizzata, quando lui chiude la comunicazione: «Ma l'hai chiamata Elisabetta!» E lui, sorridendo: «Certo, perché lei mi ha chiamato Nelson!».

VIII

COSA FACEVA RIDERE SUA MAESTÀ

La migliore qualità della regina? «Un grande senso dell'umorismo» dice il principe Harry dopo una visita a sorpresa alla nonna al castello di Windsor insieme alla moglie Meghan. All'indomani del suo novantaseiesimo compleanno, una trasmissione della BBC mette l'accento su questa caratteristica di Elisabetta II: un aspetto un po' trascurato dai media, dai biografi e forse sorprendente per i suoi fans nel Regno Unito e nel mondo.

Al suo Giubileo di Platino, che viene celebrato in pompa magna con quattro giorni di festa nazionale all'inizio del giugno 2022, la sovrana è infatti arrivata senza sorridere troppo, perlomeno in pubblico. Era stata incoronata da poco quando sua madre le fece notare che nelle cerimonie ufficiali sembrava sempre un po' imbronciata. «Quando sorrido ho una brutta espressione» le rispose Elisabetta. La ragione era probabilmente anche un'altra: la giovane regina si sforzava di essere all'altezza della parte. Fin dal primo momento aveva preso con estrema serietà il suo compito. E per carattere non ha mai avuto l'irriverenza della mamma o della sorella Margaret.

Tuttavia, Harry non è l'unico a sostenere che Elisabetta avesse il *sense of humour* che è peraltro considerato una delle peculiarità del suo popolo. Ce ne sono varie testimonianze, alcune pubbliche, altre private. Cosa faceva ridere dunque Sua Maestà? Per cominciare l'autoironia, ovvero la capacità di sorridere di sé stessi. Robert Lacey, uno storico della monarchia britannica, racconta l'aneddoto di un uomo politico che, durante un'udienza a palazzo reale, rimane imbarazzato perché in quel momento gli squilla il telefonino. Mentre l'ospite si affretta a zittire il cellulare, la regina commenta: «Spero che non fosse qualcuno di importante». L'allusione è evidente: qualcuno più importante di me? Ma, detto così, lascia intendere che lei non si reputa tanto importante.

Karen Dolby, un'altra biografa di corte, riferisce un caso analogo in cui Elisabetta, a passeggio con una guardia di scorta nella sua tenuta scozzese di Balmoral, incontra una comitiva di turisti americani, che non la riconoscono perché ha il viso coperto da fazzoletto e occhiali da sole. «Scusi, signora, le è mai capitato di incontrare la regina nelle sue passeggiate da queste parti?» le domanda uno dei turisti. «No,» replica lei con la prontezza di un comico «ma a lui è capitato» continua, indicando la guardia. Pare incredibile, data la sua notorietà, che qualcuno non la riconoscesse subito: eppure è successo. Accade anche a una commessa di un negozio del Norfolk, vicino alla sua residenza di Sandringham, dove Elisabetta passa il Natale, che le dice: «Ma lo sa che somiglia molto alla regina?». E lei, imperturbabile, con una battuta degna di un personaggio dei romanzi di P.G. Wodehouse: «Questo è decisamente rassicurante».

Lo storico Anthony Seldon sostiene che Elisabetta ridesse del lato assurdo della vita: succede davanti a tutti quando uno sciame di api disturba la perfetta coreografia di una parata militare in suo onore al castello di Windsor nel 2003, o quando sente il primo ministro canadese Jean Chrétien lasciarsi scappare una parolaccia perché, aprendo il cappuccio della stilografica con cui doveva firmare un documento, la spezza involontariamente in due e non sa più come firmare.

Di certo era capace di raccontare storielle divertenti e aveva sempre la battuta pronta. Altrettanto dimostrato è che sapesse cogliere il lato comico di una storiella raccontata bene: una foto ritrae lei e il principe Carlo che ridono a crepapelle a un evento, dopo che il figlio le ha sussurrato qualcosa all'orecchio. «Non bisogna prendersi troppo seriamente» dice Elisabetta nel 1991 nel discorso televisivo di Natale alla nazione: più chiaro di così.

È un umorismo a tratti autoironico, a tratti perfido. Come quando, in quest'ultimo caso, dopo ventuno colpi di cannone in suo onore a una cerimonia in Africa, il fumo delle esplosioni, sia pure a salve, viene spostato dal vento sulla tribunetta d'onore riservata alle autorità, per cui a un certo punto non si vede più niente. Riemersa dalla nebbiolina che si è formata, Sua Maestà, con un sorrisino birichino, si rivolge ai giornalisti al seguito a pochi passi da lei: «Vi siete divertiti? Avete assistito a un mio desiderio, dire "puff" e vedervi scomparire tutti, come se avessi la bacchetta magica». Oppure nel 2015, quando a un summit del Commonwealth il premier canadese Justin Trudeau, 45 anni e appena eletto, brinda alla sua salute ricordando il «lungo e instancabile servizio» di Elisabetta, e la regina replica: «La ringrazio, signor primo ministro, per avermi fatto sentire così vecchia».

Ma nella maggior parte dei casi è semplicemente un'ironia gentile, un modo di vedere il lato comico dell'esistenza, inclusa la propria vita di regina. La prova viene proprio con il Giubileo di Platino. A parte il messaggio ufficiale, la regina sceglie di celebrarlo con un video in cui appare accanto a quello che un tempo si chiamava un cartone animato e ora è un personaggio animato, creato con il computer: Paddington Bear, l'orsetto delle fiabe inglesi, diventato un simbolo della Gran Bretagna, tanto da essere venduto nei negozi di souvenir accanto al bus rosso a due piani, al taxi nero e alla riproduzione del Big Ben.

Il video dura appena un minuto, ma è girato come una scena dei film comici delle torte in faccia: infatti un po' di crema finisce sul volto del maggiordomo. Si vedono Elisabetta, in carne e ossa, e il Paddington animato che prendono il tè a Buckingham Palace. L'orsetto si attacca a bere a collo dalla teiera. La sovrana assume un'espressione sorpresa ma divertita, non se la prende. Quando capisce di avere commesso una gaffe, Paddington dice: «Forse gradirebbe un sandwich alla marmellata? Ne porto sempre uno con me» e lo tira fuori dal cappello. «Anch'io ne porto sempre uno con me» replica la regina; «lo tengo qui» aggiunge, aprendo la sua proverbiale borsetta e mostrandone uno. «Per dopo» precisa Sua Maestà. «Oh» fa Paddington. Il maggiordomo guarda dalla finestra: «La festa è cominciata» annuncia. «*Happy Jubilee, Ma'am*» risponde l'orsetto. Felice Giubileo, Signora. «E grazie per tutto» soggiunge. «*That's very kind*» replica la regina con un sorriso. Molto gentile da parte tua: tutto qui. Semplice, dolce, per grandi e piccini, neanche sessanta secondi. Una nonnina o bisnonnina che sa sorridere di sé, mette di buon umore e trasmette con grazia un'aria di buoni sentimenti.

Qualche volta, come succede a tutti, veniva anche a lei la cosiddetta ridarella: le scappava da ridere quando non si sarebbe dovuto. Come quando il principe Filippo le fa uno scherzo, sostituendosi alla guardia in colbacco che deve farle il saluto all'uscita da Buckingham Palace: che lo sapesse già o rimanga genuinamente sorpresa, la regina vorrebbe fare finta di niente, per stare allo scherzo, ma alla fine non ce la fa e scoppia a ridere come un bambino, o meglio come una bambina. Filippo ha sempre saputo suscitare la sua ilarità. Anche se qualche volta le sue battute in pubblico non facevano ridere nessuno, tranne lui.

IX

IL PRINCIPE DELLE GAFFE

Per quasi settant'anni è stato l'ombra discreta e onnipresente della regina. «Il primo uomo di cui lei si è innamorata, e l'ultimo», come ha scritto un suo biografo. La chiamava «Lilibet», vezzeggiativo di Elizabeth, e a un certo punto, deceduti i parenti più anziani, come la madre e la sorella di Sua Maestà, era rimasto l'unico che poteva permettersi una simile confidenza. Era anche il solo capace di rimproverare la sovrana, se non di mandarla, più o meno, a quel paese. Una volta che durante un viaggio in auto lei continuava a rimbrottarlo perché andava troppo forte, lui dopo un lungo silenzio rispose: «Se non chiudi il becco, ti faccio scendere». Elisabetta II non profferì più parola. La testimone dell'episodio, una nobildonna che viaggiava con loro e che molti anni dopo riferì l'aneddoto, in seguito domandò alla regina per quale motivo avesse obbedito senza protestare all'irriverente commento del principe. «Perché altrimenti mi avrebbe fatto scendere» fu la sua secca risposta.

Ci sono stati soltanto due principi consorti negli ultimi trecento anni di storia della Gran Bretagna: Alberto, il marito della regina Vittoria, e Filippo, il marito di Elisabetta. Il record di durata è di quest'ultimo: nessuno ha resistito più a lungo nell'incarico, merito della longevità oltre che dell'armonia della coppia, che nel 2018 ha fatto in tempo a festeggiare i settant'anni di matrimonio. Ma che incarico era, poi, il suo? Nessun potere effettivo. Trecento manifestazioni pubbliche l'anno, parate militari, onorificenze, strette di mano, quasi sempre accanto alla moglie, anzi: un passo più indietro. Non era facile, un ruolo così secondario, per un uomo che amava gli aerei (li ha pilotati in guerra e in pace), i cavalli, la caccia e – si dice – le donne: non è chiaro se attorno a lui non siano scoppiati scandali perché, una volta sposata la regina, rinunciò a correre dietro alle gonne o perché è stato l'unico membro della famiglia reale a non farsi scoprire in flagrante dai tabloid. Soltanto voci, rilanciate a decenni di distanza dal serial televisivo *The Crown*.

Si conoscevano fin da bambini. Appartenevano a quel clan di re, regine, zar e kaiser che per secoli si erano frequentati, sposati, imparentati l'uno con l'altro, come nelle fiabe. Elisabetta e Filippo, in effetti, erano cugini, sia pure di lontanissimo grado, condividendo la stessa trisavola nella regina Vittoria. Figlio del principe Andrea di Grecia e Danimarca e, per parte di madre, discendente di un nobile casato tedesco, nel luglio 1939, alla vigilia della seconda guerra mondiale, Filippo ha già vissuto in esilio in Italia, Francia, Germania, Scozia e Inghilterra. È un cadetto diciottenne al Royal Naval College, quando re Giorgio VI va a visitare la sua accademia militare portando con sé la figlia Elisabetta, allora tredicenne. Pare che sia stato amore a prima vista. Si erano già incontrati a matrimoni e incoronazioni sparse per l'Europa. Ma quella volta giocano insieme a croquet, parlano, si accende una scintilla.

Lei gli scrive durante gli anni della guerra, in cui lui si distingue in numerose battaglie navali nel Mediterraneo. Terminato il conflitto, il re approva le nozze. Ma Filippo deve superare non pochi ostacoli: convertirsi dalla religione greco-ortodossa della sua famiglia di origine a quella anglicana; essere naturalizzato cittadino britannico; rinunciare ai diritti al trono ellenico, da cui era stato deposto suo zio Costantino; ricevere il titolo di duca, ma non quello di principe, che gli sarebbe stato assegnato solo dieci anni più tardi, come un contentino. A parte sua madre, nata a Windsor da genitori che avevano rinunciato ai titoli germanici, nessun membro della famiglia di Filippo viene invitato al matrimonio. Comprensibilmente: le sorelle, come abbiamo già visto, sono sposate con aristocratici tedeschi che hanno simpatizzato per il nazismo durante la guerra.

Il promesso sposo deve prendere la cittadinanza britannica. E rinunciare alle sue aspirazioni da maschio «alfa», come si dice oggi, accettando l'idea che per tutta la vita in casa sua comanderà la moglie: in un certo senso, diventa un femminista *ante litteram*. Una cosa è certa: sembra sinceramente innamorato. Di sicuro si rende conto di sposare la donna che diventerà la testa coronata più importante d'Europa, anzi, del mondo: futura regina e futura imperatrice, avendo in quel momento il Regno Unito ancora un Impero alle sue dipendenze. Ma non è un matrimonio d'interesse, semplicemente perché Filippo non è il tipo. Fosse per lui, sarebbe felice anche di condurre un'esistenza da marinaio con quattro soldi in tasca, spassandosela per gli oceani, con gli amici e con le donne, che gli sono sempre piaciute parecchio, come Filippo piace a loro.

La verità è che sente a sua volta una chiamata del destino e la accetta, come se fosse l'ordine di un superiore, a cui obbedire senza discutere. In questo caso, beninteso, è l'ordine del cuore, ma il senso è lo stesso. In Elisabetta e nella royal family, inoltre, trova la famiglia che non ha mai avuto. «Se amo Lilibet?» dice ai suoi intimi. «Mi domando se questa parola è sufficiente a esprimere ciò che sento. Mia moglie è la sola cosa a questo mondo che ha un autentico valore per me e aspiro soltanto a formare un tutt'uno con lei, dando vita a un'entità congiunta che possa agire positivamente al servizio del bene comune.» Quanto alla rinuncia a una vita più spericolata e consona al suo carattere, Filippo taglia corto: «Occorre fare dei compromessi. È andata così e basta. È la vita. L'ho accettato. E ho cercato di trarne il meglio».

Il matrimonio viene celebrato nell'abbazia di Westminster il 20 novembre 1947 davanti a 2000 invitati. Partono in viaggio di nozze per Malta, dove lui viene assegnato come ufficiale di Marina e dove restano fino al febbraio 1952, quando nel bel mezzo della loro vacanza in Kenya la morte improvvisa di Giorgio VI richiama a Londra la principessa e cambia per sempre le loro vite.

Gli eventi memorabili dei decenni successivi sono stati, per Filippo, tutti privati, non avendo il suo ruolo alcuno spazio autonomo in pubblico. Quattro figli: Carlo, Anna, Andrea, Edoardo. I divorzi di tre di loro, incluso quello, tragico, tra il primogenito e Diana. Filippo è un padre burbero, severo, freddo (tranne con Anna, la sua prediletta, che più gli somiglia nel carattere), insomma all'antica, come molti della sua generazione. È accusato a lungo, dai fautori della teoria del complotto, di essere il mandante dell'omicidio di Diana, nonostante tre indagini indipendenti abbiamo dimostrato che Lady D non fu assassinata bensì morì per un disgraziato incidente d'auto. In realtà una serie di lettere, pubblicate molti anni dopo i fatti, hanno rivelato che tra i due c'era una certa simpatia.

Quando compie 84 anni, un quotidiano londinese scopre che Filippo ha mandato dal sarto un paio di pantaloni per farli stringere: erano troppo larghi, secondo lo stile che andava di moda nel 1958, quando se li fece confezionare in una sartoria della celebre Savile Row, la strada dei sarti per gentiluomo a Londra. La notizia colpisce non tanto per il fatto che Filippo sia sensibile, sebbene con lieve ritardo, ai cambiamenti della moda maschile, quanto per la rivelazione che il principe consorte continui a indossare lo stesso paio di calzoni da mezzo secolo. Ne ha sicuramente un armadio pieno, di pantaloni di tutte le fogge, a Buckingham Palace; e tuttavia fa impressione scoprire che, nell'era dello shopping sfrenato e del consumismo vorace, il marito della regina non abbia sostituito i vecchi calzoni semplicemente acquistandone degli altri. Un'ulteriore conferma della parsimonia della coppia reale, perché la regina è fatta allo stesso modo.

Di memorabili ci sono le sue gaffe, che gli hanno guadagnato la reputazione di uomo insensibile, cattivo, razzista. Ce ne sono così tante che hanno riempito dei libri.

All'inaugurazione di una mostra sullo spazio, rivolto a un bimbo che gli esprime il suo sogno di diventare un astronauta: «Dovrai dimagrire un pochino, ciccio bello, se vuoi arrivare fino in cielo». In visita a una tribù di aborigeni australiani: «Per caso vi tirate ancora le frecce?». E a un parlamentare nero che faceva visita a Buckingham Palace: «Del Parlamento di quale paese è membro?», per sentirsi rispondere: «Regno Unito, Altezza». Non era da lui supporre che nel Parlamento del suo paese fossero ammessi deputati di colore. Chi lo ha conosciuto sostiene che non si trattava di cattiveria vera e propria, neppure di razzismo, bensì di un cervello un po' svampito e dell'abitudine (insolita nella famiglia reale) di dire sempre ciò che pensava. Forse il suo perverso umorismo gli è servito a estraniarsi dai dolori che pure deve aver provato: la madre ricoverata in un istituto psichiatrico per schizofrenia, il padre finito a vivere in un piccolo appartamento a Monte Carlo, per non parlare di tutte le traversie vissute dai figli. Oppure, più semplicemente, le sue battutacce sono state un antidoto alla noia, un modo di non prendere troppo sul serio il ruolo di principe consorte a vita.

La regina era contrariata dalle gaffe del marito, ma ci aveva fatto l'abitudine. Palazzo reale lasciava trapelare di tanto in tanto il disappunto di Elisabetta per le battute più politicamente scorrette. Ma queste non turbavano l'armonia di una coppia che aveva trovato nel tempo un equilibrio perfetto. Il principe capiva che, oltre a dovere rimanere sempre un passo indietro rispetto alla moglie, c'erano cose che il suo ruolo non gli permetteva di fare: aveva perso libertà, autonomia, intraprendenza, le caratteristiche più forti del suo carattere. La sovrana, da parte sua, comprendeva che non era possibile impedire a Filippo di dire quello che pensava o comportarsi talvolta come un birbone, altrimenti sarebbe diventato un altro uomo o, peggio ancora, sarebbe impazzito. Inoltre, quando non erano troppo di cattivo gusto, le indelicatezze del principe la divertivano, anche se non sempre era disposta ad ammetterlo, almeno con lui: in un'esistenza rigidamente controllata da regole di etichetta e tradizione, le intemperanze verbali di Filippo erano una parentesi di spontaneità, un piccolo segnale che la vita poteva essere normale anche all'interno di una royal family.

Gli acciacchi degli ultimi anni, a un'età che ormai sfiorava il secolo, lo hanno costretto prima a ritirarsi dall'attività pubblica, poi a smettere di guidare, quindi a vivere praticamente separato dalla moglie, nella residenza di campagna del Norfolk, a Sandringham. Non però nella grande *mansion* dove la royal family trascorreva insieme le vacanze natalizie, bensì in un piccolo cottage, tre camere da letto, soggiorno, cucina e doppi servizi, dove Elisabetta e lui avevano soggiornato qualche volta prima che lei salisse al trono e dove ha deciso di trascorrere l'ultimo periodo della sua vita, in compagnia soltanto di un domestico e di una guardia del corpo. Ha trascorso gli ultimi anni così, separato dalla regina e dai suoi impegni ufficiali, finalmente libero dai propri, passando il tempo a leggere biografie di grandi personaggi, a dipingere, un'altra delle sue passioni (chissà se vedremo mai una mostra dei suoi quadri), e ad andare a caccia nella brughiera. Ogni tanto, qualche membro della sua vasta famiglia si recava a trovarlo. Ogni tanto, era lui a raggiungere la moglie a Buckingham Palace o a Windsor per una cena a due, un tête-à-tête come quando erano giovani.

La nazione intera ha seguito con trepidazione la sua graduale uscita di scena, perché gli inglesi erano affezionati a Filippo: se Elisabetta era una sorta di nonna o bisnonna nazionale, il nonno o bisnonno indubbiamente era lui, l'ex militare tutto d'un pezzo, incorreggibile nei suoi errori ma encomiabile nello spirito di servizio, l'arzillo vegliardo capace di alleggerire con una battuta, seppure a volte fuori luogo, anche le cerimonie più formali. L'uomo che amava la caccia e lo sport, che aveva il senso dell'avventura, che non disdegnava mai un drink. Una figura quasi proverbiale, con le mani dietro la schiena, l'abito di taglio classico inappuntabile, un'eleganza innata. E una devozione sincera per la moglie, che è stato il primo a vedere come la custode dell'identità nazionale, la sovrana che rappresentava il paese.

Per questo le cronache hanno riferito con puntiglio ogni passaggio dell'addio di Filippo alla vita pubblica, come se un grande attore stesse per andarsene, preludio di un addio alla vita stessa che la sua età rendeva sempre più vicino.

Il suo ultimo impegno ufficiale è il 2 agosto 2017, a una cerimonia dei Royal Marines, quando ha 96 anni: è la cerimonia numero 22.219 da quando ha iniziato le funzioni di principe consorte nel 1952. Il 20 novembre dello stesso anno celebra insieme a Elisabetta i loro settant'anni di matrimonio: un traguardo concesso a poche coppie, per ragioni naturali o per la difficoltà di avere una lunga vita insieme. Nel 2018 viene ricoverato in ospedale per la sostituzione di un'anca: sei settimane più tardi partecipa alle nozze di Harry e Meghan al castello di Windsor, riuscendo a camminare sulle proprie gambe senza alcun aiuto. Nel gennaio 2019, mentre guida la sua Range Rover nelle strade della tenuta di Sandringham sbanda in una curva e finisce addosso a un'utilitaria. Il suo fuoristrada, su cui viaggia da solo, si capovolge. Il principe ne esce coperto di sangue, ma senza gravi danni. Poteva uccidersi. E poteva uccidere i due passeggeri dell'altra macchina, una madre con il bambino di 8 anni, che subiscono varie ferite e vengono ricoverati in ospedale. Il principe si scusa e, sembra su ordine della regina che lo rimprovera piuttosto aspramente per il pericolo a cui ha esposto sé stesso e altri, tre settimane più tardi consegna volontariamente la propria patente di guida alla polizia. La procura annuncia che processarlo per eccesso di velocità o guida spericolata «non sarebbe nell'interesse pubblico». Ma al duca di Edimburgo viene concesso di continuare a guidare sulle strade private della tenuta. Lo fa non per andare da qualche parte, ma solo perché si diverte a guidare, così come del resto continua a condurre la carrozza trainata da due cavalli, il suo sport equestre preferito.

Del resto, anche la regina talvolta è stata fotografata mentre guidava nelle strade di Windsor e non aveva mai nemmeno preso la patente. «Se so guidare un camion,» pare abbia risposto una volta a chi le poneva il problema, alludendo ai suoi trascorsi di ausiliaria dell'esercito durante la seconda guerra mondiale, «posso ben guidare una macchina.»

Una loro foto insieme a Windsor viene resa pubblica in occasione del novantanovesimo compleanno di Filippo, nel giugno 2020. All'inizio del 2021 vengono entrambi vaccinati per il Covid: anche la pandemia contribuisce a isolarli, la regina con uno staff ridotto di ventisei persone tra domestici e segretari al castello di Windsor, rinunciando definitivamente a vivere a Buckingham Palace, il duca di Edimburgo nel cottage di Sandringham. Ma nel corso dell'anno lo colpiscono altri disturbi. Il 16 febbraio 2021 viene ricoverato al King Edward Hospital, una clinica privata di Londra, come misura precauzionale perché «non si sente tanto bene». Il 23 febbraio è ancora in clinica per curare un'infezione. Il 1° marzo viene trasferito in ambulanza dalla clinica all'ospedale di St Bartholomew, per una condizione cardiaca preesistente. Due giorni dopo viene operato al cuore e il 16 marzo torna al suo cottage.

Filippo muore nel sonno il 16 aprile. Causa del decesso: «di vecchiaia». Due mesi più tardi avrebbe compiuto 100 anni. L'ultima a vederlo è la contessa Sofia, moglie del figlio più piccolo Edoardo, che dice alla stampa: «Se ne è andato con gentilezza, come ha sempre vissuto. È stato come se qualcuno lo avesse preso per mano e gli avesse detto: andiamo». I funerali si svolgono alla cappella di St George, al castello di Windsor, il 17 aprile. Vi partecipa tutta la famiglia reale, anche Harry arrivato apposta dall'America, ma senza Meghan, rimasta in California con il figlio piccolo. L'immagine della regina Elisabetta, vestita di nero, isolata nella chiesa per rispettare il distanziamento sociale previsto dalle norme sul coronavirus, trasmette una sensazione di fragilità e di malinconia come non s'era mai vista. Il corpo viene sepolto nel cimitero di Windsor, in attesa di essere trasferito in una tomba speciale già predisposta nella cappella di St George insieme alla moglie, «dopo la morte della regina». Per una sentenza dell'Alta Corte, il suo testamento rimarrà sigillato e segreto per novant'anni, provvedimento necessario, dicono i giudici, per proteggere «la dignità della regina». La decisione viene contestata dal «Guardian», che invoca le leggi sulla libertà di stampa, ma i magistrati danno torto al giornale e confermano la decisione. La cosa crea supposizioni che le sue ultime volontà contengano materiali dannosi per la famiglia reale. Un regalo postumo a un'amante del passato? Una donazione a un figlio illegittimo? O forse solo uno sgarbo al nipote Harry, per punirlo di essersene andato? Se Filippo aveva un segreto, lo ha portato con sé nella tomba: dove resterà fino all'anno 2111. Più probabilmente, è un modo per celare la considerevole ricchezza personale dei Windsor.

C'è un altro segreto che ha portato con sé: nessuno può veramente sapere se il matrimonio con Lilibet sia stato felice o infelice, al di fuori di loro due. Nonostante voci di occasionali dissapori, dall'esterno sembrerebbe di sì. Nella foto ufficiale per le nozze di diamante sono ripresi di profilo, mentre si guardano negli occhi, con un sorriso che trasmette, più dell'amore, un reciproco senso di soddisfazione e orgoglio: come dire ce l'abbiamo fatta, nonostante tutto. E così come dietro ogni grande uomo si dice ci sia una donna ancora più grande, se Elisabetta ha regnato tanto a lungo, e tutto sommato bene, una parte di merito deve necessariamente andare anche all'uomo che le è stato alle spalle, sempre a un passo di distanza, anzi sempre un passo indietro. L'unico che le ha sempre parlato come se fosse una donna normale, non una regina. Perfino sentirsi dire ogni tanto «chiudi il becco» dev'essere stata una benvenuta emozione per Sua Maestà, in un'esistenza dettata da inchini, cerimoniale e ipocrisie. Perdere Filippo ha significato non avere più il compagno sincero fino all'irriverenza e il custode di decenni di ricordi comuni: oltre a contenere, per la sovrana ultranovantenne, il presagio che la vita non è eterna. Nemmeno per lei.

X

IL NUOVO *ANNUS HORRIBILIS*

Morale della favola: e vissero tutti infelici e scontenti. Si fa per dire, naturalmente: ci sono infelicità ben più grandi al mondo. Ma come scrive Lev Tolstoj nel proverbiale incipit di *Anna Karenina*, ogni famiglia felice è felice alla stessa maniera, ogni famiglia infelice è infelice a modo suo. E questa che sto per raccontare, pur tra un dorato esilio e un risarcimento danni extragiudiziario pagato dalla mamma, cioè da Elisabetta II, è l'infelicità della famiglia reale.

La regina aveva descritto il 1992 come il proprio *annus horribilis*: la separazione di tre dei quattro figli e l'incendio al castello di Windsor giustificavano l'amara definizione. Poco meno di vent'anni dopo, tuttavia, Elisabetta II vive un altro anno orribile, forse più ancora del primo. Nel febbraio 2021, Buckingham Palace conferma che Harry e Meghan non faranno più parte della famiglia reale: la coppia se n'è già andata a vivere in California, ma ora il «divorzio» è definitivo, privando Sua Maestà del nipote che forse più ama. Un mese più tardi, Harry e Meghan rilasciano un'intervista a Oprah Winfrey, nel più famoso talk show televisivo degli Stati Uniti, in cui accusano i Windsor di bullismo e di razzismo: parole che fanno il giro del mondo, imbarazzando profondamente la monarchia britannica. In aprile dello stesso anno muore il principe Filippo, lasciandola vedova, senza più la sua «roccia», come lo definiva. E nell'agosto 2021 le accuse di abusi sessuali contro il principe Andrea hanno una nuova escalation, con la presentazione di una causa civile contro di lui da parte di Virginia Roberts, la donna che sostiene di essere stata ripetutamente violentata dal duca quando lei era minorenne.

Se certi secoli sono «brevi», come Eric Hobsbawm definì il Novecento, per lui iniziato nel 1917 con la Rivoluzione russa e concluso nel 1989 con il crollo del Muro di Berlino, certi anni possono durare più di dodici mesi: ed è questo il caso del secondo *annus horribilis* di Elisabetta, cominciato nel 2020 per quanto riguarda la decisione di Harry e Meghan di rompere con la famiglia, o ancora prima con lo scandalo di abusi sessuali del principe Andrea, e terminato nella primavera del 2022 con il pagamento di un indennizzo di 12 milioni di sterline a Virginia Roberts per chiudere il caso in sede extragiudiziaria, cioè senza arrivare al processo. Un anno lungo il doppio o il triplo del normale, che deve avere angustiato non poco la sovrana, che nel febbraio 2022, come se non bastasse, si ammala anche di Covid, pur essendo già triplo-vaccinata e rimanendo il più possibile isolata al castello di Windsor.

Cominciamo da Harry e Meghan. L'inizio è idilliaco. Li abbiamo lasciati il giorno delle nozze a Windsor, sulla carrozza trainata da quattro cavalli bianchi, con il cocchiere a cassetta, lo sposo in uniforme militare, la sposa vestita di bianco, la folla festante, la diretta tivù, una splendida giornata di maggio, con il sole e il cielo azzurro, sembra davvero un matrimonio da favola. Si sistemano al Frogmore Cottage, una casetta (si fa per dire: 10 camere da letto e 60 ettari di giardino) fatta restaurare al costo di 2 milioni e mezzo di sterline pagati dal contribuente, sul territorio del castello di Windsor, per uscire dalla bolla di Londra, lei sicura di avere fatto bene a rinunciare alle scene televisive e cinematografiche, lui convinto di avere incontrato la donna della sua vita. Eppure, dodici mesi dopo, la favola finisce. In un certo senso, come in un classico plot hollywoodiano, Meghan è vittima del proprio successo. Dovunque va, la duchessa del Sussex viene idolatrata dalla folla. Harry passa in secondo piano, non se lo fila nessuno: ma il principe è talmente innamorato che non ne risente e poi i bagni di folla non sono mai stati il suo forte, gli ricordano troppo i paparazzi, sua madre, la tragedia del tunnel di Parigi.

Il problema è che passa in secondo piano anche Kate Middleton, fino a quel momento identificata dai media come «la nuova Diana»: di Diana adesso ne è arrivata un'altra, che si muove sul tappeto rosso con tutta l'esperienza accumulata nel mondo del cinema e della tivù, cioè come una perfetta diva. E se passa in secondo piano Kate, passa in secondo piano anche William, il futuro re. Questo, alla monarchia, non va bene. Qualcuno immagina che un giorno, sia pure lontano, William sarà sul trono, ma le luci della ribalta continueranno a seguire sua cognata Meghan e suo fratello minore Harry. Non è chiaro come e quanto tutto ciò arrivi all'orecchio di Elisabetta e dei suoi cortigiani. Ma i tabloid sentono odore di sangue, metaforicamente parlando, e il sangue, insieme al sesso e alla perversione, è la materia che fa vendere copie, per cui ci si buttano dentro a capofitto intingendo la fatidica penna nel veleno. Meghan comincia a essere criticata, descritta come una lady Macbeth capricciosa che domina il marito e non si accontenta mai. Si diffondono voci di suoi feroci bisticci con Kate, in cui l'americana è il diavolo e l'inglesina è l'angelo. Poi si scrive che di conseguenza si sono guastati i rapporti tra i due fratelli, un tempo inseparabili. Quindi che Meghan e Harry sono nel mirino anche di Carlo, di Camilla, di Filippo e perfino della regina.

«Ignora le critiche e non mollare» dice Carlo a Harry. Il consiglio paterno suscita un immediato *déjà vu*: fa pensare a Diana, alla quale tutti dicevano di non lamentarsi di tabloid e paparazzi. Accolta come la salvatrice della monarchia, «l'investimento migliore per modernizzare la Ditta» secondo il «Times» all'annuncio del fidanzamento ufficiale, ora l'ex attrice viene giudicata una potenziale distruttrice del sacro istituto nazionale. Troppo americana. Troppo libera. Troppo disinvolta. Troppo tutto. Lo spettro di Wallis

Simpson, visto che viene dagli Usa ed è divorziata come la donna che spinse Edoardo VIII a rinunciare al trono abdicando per sposarla.

L'offensiva di insinuazioni non si arresta nemmeno all'annuncio che la coppia aspetta un figlio, rendendo Harry ancora più furioso: dopo la madre, non vuole perdere anche la moglie. Il giovane principe non se lo aspettava. Suo padre forse sì. «In quello che accade a Meghan, Carlo rivede la tragedia del suo primo matrimonio» secondo John Bridcut, regista di un documentario sull'erede al trono, per girare il quale gli sta molto vicino. «Carlo è assai diverso dalla stereotipata immagine che molti hanno di lui» sostiene il film-maker. «È un uomo affettuoso, sensibile e gentile, ha uno stretto rapporto con i figli, da cui è adorato, senza che ciò limiti la devozione di William e Harry per la propria madre. E nei confronti di Meghan ha dimostrato da subito un'attenzione speciale. Non è un caso che abbia accettato all'ultimo momento di sostituire il padre di lei, scortandola all'altare, né che abbia offerto il braccio a sua madre Doria all'uscita della chiesa.»

L'assenza di Thomas Markle, il padre di Meghan, è una telenovela nella telenovela: un fallito ubriacone bianco che, dopo aver sposato una donna nera e averle fatto fare una figlia, è scomparso in Messico e adesso reclama un ruolo da protagonista. Meghan ha ottime ragioni per non volere rivedere un genitore così distante e ipocrita, ma i giornali la accusano di essere una figlia ingrata, scrivono che Harry non fa nulla per riappacificare padre e figlia, e intanto il padre in questione vende sottobanco ai tabloid foto di Meghan da piccola per migliaia di sterline e offre interviste a pagamento alle tivù promettendo rivelazioni. Poi, da ultimo, sostiene di non poter essere al matrimonio perché ha avuto un infarto, suscitando un'altra ondata di accuse su Meghan e Harry, che lo lascerebbero solo e malato, preoccupati soltanto di essere felici.

Fra Meghan e Diana, naturalmente, le differenze abbondano. Quando nel 1981 sposa Carlo, Lady D era un'acerba aristocratica inglese di 19 anni, vergine come imponeva l'etichetta di corte. Meghan arriva alle nozze con il bagaglio di un divorzio, una carriera a Hollywood e un'identità di «femminista birazziale», come si autodefinisce, senza contare una famiglia «infernale» (così la chiama il biografo di corte Andrew Morton), che oltre al padre ubriacone comprende una sorella e un fratello nati da un precedente matrimonio del papà, entrambi sbandati, entrambi gelosi del suo successo e interessati in qualche maniera ad approfittarne. Chi vorrebbe avere vicino personaggi simili? Un'altra differenza è che tra Carlo e Diana il più maturo era lui, anche anagraficamente, avendo dodici anni di più, mentre in questo caso è Meghan ad averne tre più di Harry, che non sono tanti ma bastano a farla dipingere come se fosse sua madre e lo potesse dirigere come una marionetta.

Eppure, fra le due donne non mancano i paralleli. La modernità, l'autonomia, la schiettezza di Meghan ricordano il temperamento di Diana. E la cosa che più le unisce è la caccia che dà loro la stampa. «I tabloid trattano Meghan come trattavano Diana» commenta George Clooney, amico di lei dai giorni di Hollywood, «e sappiamo come è finita quella storia.» Sono i giorni in cui la duchessa, incinta di quasi sette mesi, festeggia l'imminente parto con un cosiddetto *baby shower*: un party per l'arrivo del suo bebè, celebrato a New York con una dozzina di amiche, tra cui la campionessa di tennis Serena Williams e Amal Clooney, celebre avvocatessa dei diritti umani e moglie di George. I giornali scoprono che la festicciola si svolge nella penthouse del Mark Hotel, nota come la suite più costosa d'America, un appartamento con cinque camere da letto, sei bagni, biblioteca, sauna, un living room ampio come una sala da ballo e una terrazza di 220 metri quadrati, al prezzo di 58.000 dollari per notte; e che il costo totale del weekend nella Grande Mela, compreso un aereo privato per portare Meghan a destinazione e riportarla a Londra, è di 350.000 sterline. Poco importa che sia Amal Clooney a pagare il conto dell'albergo come regalo alla futura mamma. «La monarchia britannica si regge su un'immagine di frugalità» sentenzia lo «Spectator», settimanale conservatore. «La regina non approva le smodate esibizioni di lusso» rincara la dose il tabloid «Sun».

Poi i media accusano Meghan di aver fatto piangere Kate a poche ore dalle nozze criticando il vestito delle damigelle che le reggevano lo strascico, tra cui la piccola Charlotte, figlia della duchessa di Cambridge. Quindi scrivono che Meghan fa le bizze con i dipendenti e ha licenziato tre segretarie personali in pochi mesi. Sostengono che tempesta la servitù di richieste eccessive ed è già in piedi a dare ordini alle cinque del mattino. Se la prendono anche con Harry perché, forse pungolato dalla moglie, vuole un ufficio stampa separato da quello del fratello William, a capo del quale mette un'americana, ex assistente di Hillary Clinton nella campagna presidenziale del 2016 e in precedenza anche nello staff di Bill Clinton alla Casa Bianca. Tutte cose che fanno arrabbiare la stampa inglese, sollevando un vecchio mal sopito odio verso la «colonia» che si è ribellata alla corona e ha ottenuto l'indipendenza nel 1776.

Escono vecchie foto di Meghan mezza nuda sul set dei suoi primi film di serie B. Altra foto mentre bacia il primo marito, l'attore Trevor Engelson, e fumano insieme uno spinello. I bookmaker accettano scommesse sulla data del divorzio da Harry. Il giornalista e presentatore televisivo Piers Morgan ammonisce che il loro figlio sarà «il primo principe nero della storia britannica» e spettegola su un proprio presunto flirt con Meghan: «Siamo andati fuori a bere insieme, l'ho accompagnata a casa in macchina, mi faceva gli occhi dolci, ma il giorno dopo le hanno presentato Harry e non ha più neanche risposto a un mio messaggino. È un'arrivista ipocrita. Spero che Harry non debba mai pentirsi di averla sposata».

Comprensibilmente, Harry è furioso. Magari è vero che qualche capriccio Meghan lo fa, come quando pretende di indossare una tiara di diamanti della Royal Collection durante un viaggio nei paesi del Commonwealth, o una di smeraldi, ancora più spettacolare, in occasione delle nozze: «*Sorry*, Harry, ma la tua Meghan non può avere tutto ciò che vuole, indosserà la tiara scelta da me» pare che gli abbia detto la regina. Ma sarà poi vero che è lei la bizzosa? «Benvenuta in Gran Bretagna, povera Meghan» scrive uno dei suoi pochi difensori, il filorepubblicano «Guardian». «I tabloid vogliono farci credere che l'altezzosa della coppia sia questa americana tirata su con quattro soldi da una madre single e non Harry, cresciuto fra i valletti di Kensington Palace, o gli altri membri della famiglia reale che la guardano dall'alto in basso. Prima l'abbiamo accolta come una star, adesso la trattiamo come la peste bubbonica.»

Un anno e mezzo dopo il matrimonio, la favola va in frantumi: l'8 gennaio 2020 Harry e Meghan annunciano su Instagram la decisione di fare un passo indietro dal loro ruolo nella famiglia reale, per dividere il proprio tempo fra il Regno Unito e l'America, e per diventare «finanziariamente indipendenti». La mossa viene subito ribattezzata dai tabloid «Megxit», parafrasi di Brexit: come dire Meghan esce, se ne va, è lei che ha deciso. Ancora una volta la stampa la dipinge come la strega cattiva della fiaba, la responsabile di tutto, abile manipolatrice dell'ingenuo e fragile Harry.

Tre giorni dopo la regina convoca a Sandringham un «summit senza precedenti», sempre secondo i media, che trattano l'evento come una crisi nazionale. Sono presenti Elisabetta, Carlo, William e Harry: tre giudici e un imputato. Viene deciso che, contrariamente ai desideri della coppia, Harry e Meghan non rappresenteranno più la famiglia reale: il timore che lasciati liberi dalle regole di palazzo prendano iniziative imbarazzanti spinge Sua Maestà e i due eredi diretti a imporre che non potranno fare i reali «part time». Non potranno dunque nemmeno più fregiarsi del titolo di «Altezza Reale», che avrebbero voluto mantenere, ma conserveranno quello di duca e duchessa del Sussex. Harry dovrà rinunciare ai suoi titoli militari: è la punizione che più lo ferisce. E dovranno ripagare di tasca propria i 2 milioni e mezzo di sterline spesi dallo Stato per rinnovare Frogmore Cottage, la loro «casetta» vicino al castello di Windsor.

In un breve comunicato, la regina afferma di avere accolto la decisione dei duchi «a malincuore», ma di accettarla, e aggiunge che, seppure non rappresenteranno più la monarchia, per lei resteranno sempre parte della sua famiglia. Una reazione misurata, nel segno dell'equilibrio che distingue sempre Elisabetta. Ma i duchi del Sussex non la prendono tanto bene. Quella che nelle loro intenzioni doveva essere una parziale separazione diventa un divorzio totale. Lasciano Frogmore Cottage, chiudono l'ufficio che avevano a Buckingham Palace licenziando i quindici dipendenti, traslocano insieme ad Archie, il figlio che nel frattempo è nato, prima in Canada, a Vancouver, in una lussuosa villa prestata da un'amica di lei, poi in California, lo Stato da cui Meghan proviene, sulla costa tra Los Angeles e Santa Barbara, dove affittano e poi comprano a Montecito una villa, come altro definirla, hollywoodiana. *Goodbye* Buckingham Palace, *hello* Hollywood, si potrebbe riassumere la vicenda. «Ritorno a Hollywood» sarebbe il titolo se ci girassero un film, e prima o poi di sicuro lo faranno.

Due mesi dopo, arriva l'intervista a Oprah Winfrey, la star della tivù americana, uno scoop che fa il giro del mondo, nella quale Harry e Meghan correggono alcune delle indiscrezioni dei tabloid, a cominciare dal fatto che non è stata lei a far piangere Kate a poche ore dalle nozze per il vestitino delle damigelle, bensì il contrario, e né Kate né William si sono sentiti in dovere di smentire la stampa quando i giornali hanno accusato Meghan di essere responsabile della lite. A dire la verità, una tempesta in un bicchier d'acqua, o in una tazza di tè, come si usa dire a Londra: cose che succedono tra cognati, fratelli, tra parenti serpenti, in tutte le famiglie, è stata colpa tua, no, era colpa tua e non hai avuto nemmeno il coraggio di dirlo alla mamma, alla nonna, al resto della famiglia, a tutti quelli che ci conoscono! Ma raccontato in tivù, all'intervistatrice più famosa del mondo, in un colloquio poi acquistato e tradotto dalle reti televisive di tutto il pianeta, ha il sapore di uno scoop apocalittico. Certamente può far scendere il gelo nei rapporti fra le due coppie, i fuggitivi ribelli Harry e Meghan, e i bravi ragazzi ed eredi al trono William e Kate.

Questa rivelazione, tuttavia, è il meno, rispetto a quello

che viene dopo: le accuse alla famiglia reale nel suo complesso di bullismo nei confronti di Meghan, l'accusa di razzismo contro un singolo membro della famiglia reale, non nominato, che si sarebbe domandato se Archie avrebbe avuto «la pelle nera». Questo sì che scatena il finimondo, al punto che deve intervenire perfino la regina, con un comunicato di appena sessanta parole in cui promette un'inchiesta (dei cui risultati mai nulla si verrà a sapere) su una questione che, ammette, è «fonte di inquietudine».

Nonostante tutto, Elisabetta cerca sempre di ricucire e unificare, se non proprio perdonare. Manda affettuose congratulazioni quando nasce il secondo figlio della coppia. Riceve Harry e Meghan a Windsor a pochi mesi dal Giubileo, e sembra commossa quando, nei giorni della sua celebrazione, le presentano la pronipotina che si chiama come lei: Lilibet. Se anche Harry e William abbiano davvero fatto pace, per non parlare di Meghan e Kate, è più dubbio, sebbene sia stata proprio Kate a spingere fisicamente i due fratelli a parlarsi, all'uscita della cappella di St George, dopo il funerale del nonno Filippo. Un'altra, la futura regina Kate, che ha attentamente studiato la lezione di Elisabetta: mai lamentarsi, mai dare spiegazioni e cercare sempre di unire, di lenire le ferite.

Ma il dubbio di fondo resta: c'è del razzismo dentro la famiglia reale? O è addirittura razzista la regina? La questione apre un dibattito nazionale, con editoriali dei giornali, sondaggi d'opinione, interviste in tivù. «Ho creato una famiglia birazziale, come Meghan,» racconta Mel Bridger, londinese di 43 anni, «io nera, mio marito bianco, i nostri due figli di razza mista. Non sono mai stata una grande fan dei Windsor, ma il matrimonio fra Harry e Meghan ha avuto un impatto significativo anche su di me. Ha voluto dire che mia figlia può accendere la televisione e vedere una donna di sangue misto come lei che entra a far parte di una storica istituzione nazionale. Mi è sembrato l'inizio di una monarchia più inclusiva, più diversificata, che riflettesse maggiormente il resto della popolazione. E invece, quando sono venute fuori quelle accuse, è stato come se crollasse tutto.»

L'87 per cento dei cittadini britannici sono bianchi, il restante 13 per cento sono neri, asiatici o di etnia mista. Un sondaggio del 2022 rivela che il 30 per cento degli interpellati pensa di vivere in «un paese razzista», il 40 per cento non è d'accordo, il restante 30 per cento è incerto: non proprio il sintomo di una società egualitaria dal punto di vista razziale. Ci sono stati indubbiamente progressi rispetto ai disordini razziali degli anni Sessanta a Londra, quando la comunità asiatica e quella nera venivano bullizzate, maltrattate dalla polizia, apertamente discriminate. «Ma ancora adesso tra i bianchi dell'élite c'è una risposta spaventata o irata ogni volta che qualcuno li accusa di razzismo,» dice un'altra nera britannica, Lisa Bent, 41 anni, esperta di pubbliche relazioni, «il che contribuisce ad aumentare il senso di oppressione.» Vari commentatori inglesi si augurano che la Megxit, ovvero il caso Meghan, contribuisca a rilanciare il dibattito sul tema in modo analogo a quanto il movimento Black Lives Matter ha fatto sulle due sponde dell'Atlantico, riesumando accuse di colonizzazione e schiavismo vecchie di secoli e non ancora del tutto risolte.

Saranno pure cose che capitano in tutte le famiglie infelici, ma a 95 anni devono avere turbato la regina, che non aveva più nemmeno il conforto del marito per affrontarle. E come dice il proverbio, non c'è limite al peggio. Allo stesso tempo, Elisabetta è stata investita dallo scandalo del principe Andrea, molto più imbarazzante e doloroso, per lei e per la monarchia: un conto è un nipote che decide di andare a vivere in California con la moglie, un altro un figlio che rischia di finire in prigione per abusi sessuali su una minorenne.

Andrea ha sempre avuto la fama di pecora nera della famiglia reale. Nonostante da giovane si sia distinto come pilota di elicottero della RAF nella guerra per riprendere le isole Falkland all'Argentina, in seguito è protagonista di uno scandalo dietro l'altro. Nominato ambasciatore speciale del Regno Unito per il commercio internazionale e gli investimenti, ruolo per il quale non riceve un salario, approfitta dell'incarico per intrattenere rapporti con dittatori come il leader libico Muhammad Gheddafi e il presidente azero Ilham Aliyev, viene accusato di conflitti di interesse per i favori che procura ad amici e si guadagna il soprannome di «Air Miles Andy», Andreino delle miglia aeree: in un solo anno spende, a carico del contribuente, 620.000 sterline in viaggi, pari a più di 700.000 euro, incluse 154.000 sterline di alberghi e ristoranti.

Viene anche messo sotto inchiesta dal dipartimento di Stato americano per avere discusso di bustarelle con dirigenti governativi del Kirghizistan e del Kazakistan, due ex Repubbliche sovietiche in Asia centrale: desta sospetti la vendita di una sua villa nel Surrey a un uomo d'affari, cognato del presidente del Kazakistan, per 15 milioni di sterline, 3 milioni di più del valore di mercato a cui era stata messa in vendita in precedenza. Per il Kazakistan ha un interesse speciale, che culmina in una relazione con una disinvolta ereditiera kazaka molto più giovane di lui, la ventinovenne bellissima Goga Ashkenazi. Viene coinvolto in indagini per traffico d'armi e perfino per avere cercato di organizzare un golpe in Africa con mercenari britannici, che vengono scoperti, arrestati e imprigionati. È accusato di maltrattare i domestici e di usare un linguaggio razzista nei confronti di neri e arabi. Ed è sempre indebitato, tanto da dover vendere anche lo chalet che ha comprato in Svizzera per pagare i creditori. Ma quando resta senza soldi, c'è una porta a cui va puntualmente a bussare: quella di sua madre. E la regina paga senza fiatare.

Quello che stupisce nella vita di Andrea è la fedeltà di due donne. Una è per l'appunto Sua Maestà, che ha un debole per lui: non è chiaro se per una simpatia dettata dal carattere o se perché avverte che è il più fragile e bisognoso di aiuto. Forse, tra i suoi quattro figli, Andrea è quello di cui subisce più il fascino. L'altra donna che gli rimane fedele è l'ex moglie, Sarah Ferguson, la ormai ex duchessa di York, che continua a passare le vacanze a Balmoral con lui e le figlie: ogni tanto gira pure voce che i due potrebbero risposarsi. Forse sono fatti l'uno per l'altra: anche lei ha fama di profittatrice, a un certo punto chiede bustarelle a businessmen arabi, non sapendo che sono in realtà giornalisti del «Sun», promettendo in cambio di fare loro avere accesso all'ex marito. Alle donne Andrea piace: a differenza dei fratelli, piuttosto bruttini, è il bello della famiglia. E le donne piacciono a lui: sono innumerevoli le relazioni che gli vengono attribuite, tra cui perfino con un'attrice di film erotici, Koo Stark, prima di sposare Sarah.

Anche la sua vita sembra un film, di serie B però, fino a quando l'ultimo scandalo la trasforma in un film di serie A: una *horror story* che infanga la monarchia. La morte di Diana aveva imbarazzato la regina con il fantomatico sospetto di un complotto per uccidere la principessa. Nella sordida vicenda in cui precipita Andrea c'è molto di più di un sospetto: c'è un miliardario suo amico condannato per pedofilia che si suicida in carcere, c'è una sua amica, figlia di un miliardario, anche lei in prigione, e il principe medesimo rischia di finire a fare loro compagnia dietro le sbarre.

Al centro di tutto ci sono Jeffrey Epstein, il miliardario pedofilo americano, Ghislaine Maxwell, l'ereditiera inglese sua complice, e Virginia Roberts Giuffre, una delle loro «schiave del sesso». Un terzetto che non potrebbe essere più diverso, i cui destini si incrociano con quello di Andrea. Epstein inizia la sua carriera insegnando in una scuola di Brooklyn senza nemmeno essere laureato: dopo un po' il preside se ne accorge e lo licenzia. Ma nel clima folle degli anni Ottanta, quando New York è in preda alla febbre e i «lupi di Wall Street» si arricchiscono a palate con speculazioni non sempre limpide, lui reagisce buttandosi nella finanza e diventa ricco. Il trampolino per la sua scalata sono i circoli elitari della Big Apple. La chiave per entrarci sono le donne: belle, pronte a concedersi ai suoi amici e giovani, anzi giovanissime, spesso minorenni.

Per un quarto di secolo, gli va bene. Poi, nel 2005, cambia il clima, certe cose non vengono più tollerate, nemmeno se a farle sono i ricchi e i potenti: la polizia della Florida comincia a indagare su di lui per la denuncia di una ragazzina quattordicenne che sostiene di essere stata abusata. È l'inizio di una lunga serie di casi giudiziari, arresti, incarcerazioni, rilasci, nuove condanne. A un certo punto l'FBI identifica trentasei ragazze minorenni che accusano Epstein di violenza sessuale. Lo scandalo fa tremare molti grandi personaggi, perché tra gli invitati ai party nelle sue ville di Miami ci sono l'ex presidente americano Bill Clinton, il fondatore della Microsoft Bill Gates e il futuro presidente degli Stati Uniti Donald Trump. E c'è anche lui, il principe Andrea, terzogenito della regina, in quel momento quinto in linea per il trono dopo Carlo, William, Harry e Anna.

A fare conoscere Epstein e Andrea è Ghislaine, figlia di Robert Maxwell, un magnate dei tabloid inglesi che a un certo punto diventa molto influente ma è assai chiacchierato per voci di ogni genere, dagli imbrogli finanziari a missioni clandestine per i servizi segreti. Un'esistenza davvero da romanzo, conclusa tragicamente e misteriosamente: una notte, sul suo yacht, Maxwell cade in mare e viene ritrovato affogato. Ma è caduto o lo hanno spinto? Non si saprà mai con certezza. Lo yacht si chiama *Ghislaine*, come la figlia, che frequenta l'*high society* londinese, entra in contatto con la famiglia reale e fa amicizia con Andrea. Nel frattempo, è diventata la compagna, socia d'affari e complice di perversioni sessuali di Epstein.

Il miliardario pedofilo, l'ereditiera scapestrata e il principe squattrinato sembrano fatti gli uni per gli altri. Andrea ha bisogno di denaro. A Epstein fa comodo la pubblicità. Viene invitato a Londra, va alle feste a Buckingham Palace, si intrufola con Ghislaine negli appartamenti privati della regina, si fa fotografare seduto sul trono. Anche Andrea comincia a frequentare le feste di Epstein, in America e in Inghilterra. E alle feste conosce il terzo elemento del triangolo, una ragazzina bionda di 17 anni di nome Virginia, già utilizzata da Jeffrey e Ghislaine per offrire servigi sessuali a molti dei loro amici. Il principe non è chiamato immediatamente in causa. Ma dopo la morte di Epstein a Rikers Island, il più famigerato carcere di New York, dove viene ritrovato impiccato, Virginia apre una causa civile per danni contro Andrea. Lei dice di avere fatto sesso con lui almeno tre volte, quando era minorenne. Lui decide di rilasciare un'intervista alla BBC per smentirla: «Non l'ho mai incontrata». E allora, gli domanda la giornalista, come spiega la foto uscita su tutti i giornali in cui siete ritratti insieme, lei che cinge i fianchi nudi della ragazza, con Ghislaine che vi guarda di sottecchi? «Non so spiegarmelo» risponde il principe, lasciando intendere che, a suo parere, potrebbe essere un fotomontaggio. Ma è l'unico a pensarlo.

Sesso, sangue e perversione: gli elementi che fanno volare la stampa ci sono tutti. Per settimane, le prime pagine dei tabloid non parlano d'altro sulle due sponde dell'Atlantico, a Londra come a New York. Lo scandalo è tale che deve intervenire, ancora una volta, la regina. Andrea viene sospeso per sempre da ogni ruolo nella famiglia reale: non appare nemmeno nelle foto ufficiali del matrimonio di sua figlia Beatrice con il conte italiano Edoardo Mapelli Mozzi. Gli vengono tolti i titoli militari, non può più farsi chiamare «Altezza Reale». La pecora nera della royal family viene finalmente messa all'indice.

Dopo essersi proclamato innocente e avere annunciato che sarebbe andato al processo, su pressioni della madre Andrea fa marcia indietro, patteggia con gli avvocati di Virginia, giunge a un accordo extragiudiziario: lei ritira la denuncia, il processo non si farà più, lui paga in cambio una somma non precisata. Le indiscrezioni rivelano che sono almeno 12 milioni di sterline, circa 14 milioni di euro. E pur senza ammettere la propria colpa, il figlio prediletto della regina ci va molto vicino. «Il principe Andrea ha intenzione di donare una somma sostanziosa all'associazione della signora Roberts che si occupa delle vittime di violenza sessuale» afferma il comunicato dell'accordo. «Il principe non ha mai voluto danneggiare la figura della signora Roberts e riconosce che essa sia stata vittima sia di abusi che di attacchi pubblici ingiustificati.» Attacchi come il suo, che le ha dato a lungo della bugiarda. Insomma, se il caso Meghan riaccende i temi di Black Lives Matter, il caso del principe Andrea riporta in primo piano i temi del MeToo: machismo, sessismo, abusi contro le donne. Nemmeno i Windsor ne sono indenni. Anche in questo, tristemente, la famiglia reale è lo specchio della nazione.

A pagare gran parte dell'indennizzo milionario è la regina: Andrea quei soldi non li ha. E nonostante tutto questo, Elisabetta sceglie proprio Andrea per farsi accompagnare in chiesa, in occasione del Giorno della Rimembranza dei Caduti, all'indomani della tempesta giudiziaria sul principe. È un ultimo tentativo di riabilitarlo agli occhi dell'opinione pubblica nazionale. Ma questo non le riesce. Tutti in Inghilterra disprezzano Andrea. Più di tutti lo detesta suo fratello maggiore, il principe Carlo, furibondo che Andrea abbia insozzato la monarchia e strumentalizzi la madre per cercare di continuare a difendersi. Forse c'è perfino un pizzico di gelosia nell'odio di Carlo. Perché, deve chiedersi l'erede al trono, perché la mamma predilige un figlio così insopportabilmente viziato e vizioso, mentre ha sempre trattato lui con distacco? Non lo sapremo mai con certezza. È un altro segreto che i Windsor porteranno nella tomba. Di certo c'è che il 2021 è un gran brutto anno per la regina: un anno davvero *horribilis*, le cui conseguenze si prolungano fino al febbraio 2022, quando si conclude il patteggiamento extragiudiziario per Andrea, alla vigilia del settantesimo anniversario dell'ascesa al trono della regina e a poco più di tre mesi dai festeggiamenti del Giubileo di Platino in suo onore. Tutto questo contribuisce a dare un sapore malinconico all'evento: anche perché di giubilei se ne fanno uno ogni dieci anni e, mentre lo celebrano, tutti pensano che questo, a cui la regina arriva all'età di 96 anni, per lei sarà l'ultimo.

XI

LA FINE DELL'IMPERO

Come un allenatore che negli ultimi minuti di una partita difficile manda in campo i suoi giocatori più forti per cercare di risollevare le sorti della squadra, nella primavera del 2022 la regina si rivolge a una coppia d'assi per affrontare l'ultima crisi della sua monarchia: la rivolta delle ex colonie che vogliono diventare repubbliche. Ci proverebbe lei a calmare le acque, letteralmente, perché si tratta perlopiù di isole nel mar dei Caraibi, ma è troppo anziana e troppo debole: ormai i medici le hanno vietato i viaggi in patria, figuriamoci all'estero e per di più al di là dell'oceano. E poi il problema maggiore emergerà nel futuro, in un domani in cui lei non ci sarà più, per cui tocca alle nuove generazioni spegnere il focolare prima che diventi un incendio in grado di appiccare il fuoco a tutta la foresta. Suo figlio Carlo suscita più ire che plausi, al massimo può mandarlo ad assistere al fatto compiuto, a fare buon viso a cattiva sorte, come è successo quando Barbados ha proclamato la repubblica. Per impedire che altri membri del Commonwealth seguano l'esempio, le serve qualcuno che piace a tutti, che piace molto, che piace sempre. Ma stavolta non funzionano nemmeno William e Kate.

Comincia male, anzi malissimo, infatti, la visita del duca e della duchessa di Cambridge alle ex colonie britanniche nei Caraibi: la prima tappa del viaggio, in un villaggio del Belize che ospita una fattoria di alberi da cocco, viene cancellata all'ultimo momento da Buckingham Palace in seguito a una manifestazione degli abitanti contro la presenza della coppia reale. «Principe William, vattene dalla nostra terra» è la scritta su uno dei cartelli dei dimostranti. Brutto segno per una missione il cui scopo sarebbe proprio quello di rafforzare i legami con la monarchia, convincendo i paesi della regione a non abolirla, a non diventare una repubblica come ha fatto l'anno prima un'altra ex colonia britannica, l'isola di Barbados, con l'effetto di sostituire come capo di Stato la regina Elisabetta con un presidente.

Il fatto che il monarca britannico di turno sia ancora capo di Stato in alcune ex colonie di Londra è un retaggio dell'era coloniale che diventa sempre più controverso, specie ora che, al posto di Elisabetta, è salito al trono il figlio Carlo, assai meno popolare di lei in patria e soprattutto all'estero. Infatti non appena Carlo è proclamato re, le minuscole isole caraibiche di Antigua e Barbuda annunciano un referendum per diventare repubbliche e rovesciarlo, per così dire, dal ruolo istituzionale che il neosovrano avrebbe anche lì. Finché Elisabetta era viva, è rimasta capo di Stato, oltre che del Regno Unito, in una quindicina di nazioni del Commonwealth, tra cui Canada, Australia e Nuova Zelanda: ma in tutti e tre esisteva da tempo un movimento per abolire la monarchia, scegliere il sistema repubblicano e rompere quest'ultimo legame con il periodo coloniale. Naturalmente era un ruolo puramente formale: a rappresentarla c'era un governatore che non non aveva alcuna voce in capitolo negli affari interni di ciascuna nazione.

Ma l'abolizione della monarchia da parte di una di queste, Barbados, nel 2021, fa squillare un campanello d'allarme. Alla solenne cerimonia che spezza per così dire l'ultima catena partecipa il principe Carlo, cogliendo l'occasione per presentare storiche scuse del Regno Unito per secoli di colonialismo e in particolare di schiavismo nelle sue ex colonie in quella parte del mondo. Anche nei tre paesi che William e Kate visitano nella primavera del 2022, Giamaica, Bahamas e Belize, i sentimenti antimonarchici sono in crescita, specialmente in Giamaica, dove circolano iniziative per organizzare un referendum sull'abolizione della monarchia e alcuni giudici bruciano in pubblico la parrucca che portano in aula, altra obsoleta tradizione ereditata dall'era coloniale.

Fonti di palazzo reale dicono che la sovrana sia molto dispiaciuta di avere per così dire «perso» Barbados e voglia evitare un «contagio repubblicano» in altre isole dei Caraibi: anche se la ragione ufficiale della visita è celebrare il Giubileo di Platino, le indiscrezioni confermano che Buckingham Palace ha organizzato il viaggio di William e Kate apposta per cercare di impedire che la stessa cosa accada anche altrove, provocando un effetto domino che potrebbe portare tutte le ex colonie ad abolire la monarchia e sostituirla con un presidente. Si avverte anche il desiderio di voltare pagina, dopo l'*annus horribilis* che l'ha così tormentata. Sua Maestà vorrebbe arrivare al Giubileo con qualche buona notizia per la casa reale. Ma non succede.

Come segnala la contestazione nel villaggio in Belize, neppure il principe e la moglie, amatissimi dai media di tutto il pianeta, riescono a evitare le proteste. Alcuni commentatori caraibici osservano che Londra sbaglia a cercare di tenere strette le sue ex colonie della regione con visite come quella della coppia reale e che, al contrario, farebbe bene ad accettare come un fatto inevitabile l'abbandono di questo legame coloniale, preoccupandosi soltanto di mantenere buoni rapporti con le ex colonie all'interno del Commonwealth. Una volta che Carlo diventerà re, afferma l'opinione dominante, tutte o quasi le ex colonie britanniche sceglieranno la repubblica.

Il segnale più allarmante per Londra viene dall'Australia, dove il nuovo primo ministro di origine italiana (suo padre era pugliese, di Barletta per la precisione), Anthony Albanese, appena eletto nomina nel suo governo un nuovo dicastero: il ministero per la Repubblica, con l'intento di organizzare anche lui un referendum per dire addio alla monarchia. La nazione grande come un continente, la terra dei canguri e degli aborigeni, conquistata dal capitano

Cook per la Corona inglese e a lungo usata dalla monarchia solo come prigione in cui spedire galeotti, è pronta a ribellarsi, a diventare una repubblica, come le piccole isole di Barbados e Giamaica. Proprio in quest'ultima, l'isola del reggae, scoppiano polemiche perfino contro il Giubileo di Platino. «Qui non c'è niente da celebrare» dichiara Rosalea Hamilton, direttrice di una campagna che chiede a Londra un indennizzo per lo schiavismo nella Giamaica dell'era coloniale. «Sono settant'anni che facciamo i conti con l'eredità della nostra storia coloniale. Il più bel regalo che la regina potrebbe fare al nostro paese nel giorno del Giubileo è chiedere scusa per lo schiavismo.» Scuse che, se fatte in modo ufficiale, aprirebbero la strada a richieste di indennizzi per cifre colossali.

In India, la più popolosa delle ex colonie britanniche, dove il monarca britannico non ha più ricoperto il ruolo di capo di Stato dopo l'indipendenza raggiunta nel 1947 (fino ad allora era rappresentato a Delhi da un «viceré», figura totalmente obsoleta, offensiva fin dal termine), il Giubileo suscita ricordi non del tutto piacevoli delle precedenti visite di Elisabetta II, in particolare l'ultima, nel 1997, quando la sovrana viene aspramente criticata per un discorso in cui sembra ordinare a India e Pakistan di «smetterla di bisticciare». Le cose non migliorano quando il ministro degli Esteri Robin Cook, che la accompagna nel viaggio, dichiara che il Regno Unito ha una «responsabilità storica» nel cercare di risolvere la disputa sul possesso del Kashmir tra le sue due ex colonie. E peggiorano ulteriormente quando il principe Filippo, durante una cerimonia di commemorazione a Jallianwala Bagh, teatro del terribile massacro del 1919 in cui un generale britannico ordinò alle sue truppe di aprire il fuoco su migliaia di civili indiani inermi, osserva che il numero delle vittime era stato probabilmente esagerato. Ma Elisabetta, camminando scalza fino al memoriale della strage, indossando soltanto una veste giallo zafferano, colore sacro per gli indiani, contribuisce un poco a smussare le tensioni. «L'Impero britannico è diventato polvere e nessuno in India ne sente la mancanza,» commenta la scrittrice indiana Nilanjana Roy «ma la regina gode di un rispetto a parte rispetto agli altri reali.»

I repubblicani inglesi, pur essendo una minoranza, sperano che tutto questo porti un giorno ad abolire la monarchia ereditaria, di per sé un concetto non propriamente democratico, anche a casa loro. Si fanno delle illusioni: non succederà tanto presto. Tuttavia, sulla Londra che si appresta a celebrare la regina cala un malinconico senso di fine epoca, se non di fine Impero, come segnala, ad appena tre settimane dal Giubileo, un weekend particolarmente amaro per la casa reale.

Alla finale della Coppa d'Inghilterra, nello stadio di Wembley, il principe William viene ripetutamente fischiato dai tifosi del Liverpool, che sta per affrontare il Chelsea, e la medesima accoglienza, prima della partita, viene riservata all'inno nazionale britannico. Per il principe, presente in quanto presidente della Football Association, la federazione calcio inglese, è probabilmente la prima volta. Per l'inno nazionale, no.

I sostenitori dei Reds hanno fischiato anche in altre occasioni l'inno, durante finali giocate nella grande arena londinese considerata la culla del calcio. La ragione è un generico risentimento contro l'establishment, spiegabile con la politica di Margaret Thatcher nei confronti della città di Liverpool negli anni Ottanta, contrassegnati da un lungo braccio di ferro contro i sindacati dei minatori. C'entrano anche le accuse alle autorità nazionali di avere insabbiato a lungo le responsabilità della polizia nella tragedia del 1989 a Hillsborough, il peggiore incidente nella storia del football inglese, quando durante una semifinale della Coppa d'Inghilterra l'apertura di un settore già pieno di tifosi provocò un parapiglia, con la morte di 96 spettatori, schiacciati dalla folla, quasi tutti tifosi del Liverpool. La monarchia, insomma, non è la vera ragione delle proteste contro William a Wembley, se non per essere l'istituzione che più di ogni altra rappresenta lo Stato, l'autorità suprema, il Regno Unito. Ma i fischi bruciano lo stesso.

Rappresentanti di varie forze politiche criticano severamente l'accaduto. «Li condanno con fermezza» afferma lo speaker della Camera dei Comuni, Lindsay Hoyle. «Inaccettabile e vergognoso, la federazione dovrebbe punire i responsabili» commenta la deputata conservatrice ed ex ministro della Cultura, il dicastero che amministra anche lo sport, Karen Bradley. «I tifosi che fischiano i simboli della nostra meravigliosa regina non rappresentano il proprio club, né la nazione» dice il leader liberaldemocratico Ed Davey.

C'è, tuttavia, anche chi difende i fischi. Howard Beckett, un leader sindacalista di sinistra, che nel 2021 si era candidato a guidare la potente confederazione Unite, elogia i tifosi del Liverpool per avere «respinto il patriottismo cieco e l'establishment», definendo i cori contro il principe e contro l'inno nazionale «una manifestazione di qualità da parte di fans socialisti» della squadra. Interrogato sull'episodio, Jürgen Klopp, l'allenatore tedesco del Liverpool, preferisce non commentare, astenendosi comunque da una condanna: «Non penso di essere la persona giusta a cui chiedere un giudizio, conosco solo un po' la storia britannica, ma non sono io che devo giudicare» dice alludendo al fatto di non essere inglese.

Contemporaneamente alle polemiche su quello che è accaduto allo stadio, un sondaggio pubblicato dall'«Observer» rivela che meno di metà della popolazione scozzese sostiene la monarchia: il 45 per cento, la percentuale più bassa mai registrata nella regione autonoma del Regno Unito. Nonostante il partito indipendentista scozzese affermi di voler mantenere la regina Elisabetta come capo di Stato, se un giorno la Scozia otterrà l'indipendenza, i sentimenti verso la monarchia sembrano dunque in netto calo a Edimburgo e dintorni. E il declino di consensi si registra anche nel resto del paese: il medesimo rilevamento statistico, condotto dal think thank British Future per valutare il gradimento della monarchia in vista del Giubileo, indica che soltanto il 60 per cento della popolazione britannica nel suo complesso vuole mantenere il sistema monarchico nel futuro prossimo: fino a quel momento il consenso per la corona era sempre rimasto intorno al 70 per cento, toccando nel 2010 quota 80 per cento. Fra i minori di 35 anni, il sostegno alla monarchia è sceso ancora più in basso, non andando oltre il 50 per cento.

I fischi allo stadio non sono rivolti personalmente a William, insomma, e quelli per «Dio salvi la regina» non sono una condanna di Elisabetta II, ma insieme al declino di consensi per la monarchia espresso dai sondaggi rappresentano dei moniti poco incoraggianti, e per certi versi sorprendenti. Ciò non vuol dire che la monarchia sia in immediato pericolo. Né che il Giubileo venga ignorato: si tengono ben 1458 eventi pubblici e 1775 *street parties*, feste spontanee nelle vie di tutto il paese, con tavolate in mezzo alla strada, chiusura del traffico e grandi bevute di birra e mangiate di salsicce alla griglia, per festeggiare la sovrana. I grandi magazzini registrano vendite record di Pimm's, il liquore simbolo dell'estate inglese, con cui molti brindano a Sua Maestà, sebbene gli inglesi non si facciano mai sfuggire una ragione per bere, quale che sia il motivo. Si calcola che siano stati spesi 823 milioni di sterline tra alcolici, cibo e decorazioni durante il lungo weekend per la regina. Ma il sito dei Windsor invita la gente a essere più coinvolta, come nel timore che la festa non sia abbastanza di massa, non sia abbastanza calorosa, al di fuori del recinto dell'ufficialità. Un conto è il centro di Londra, Piccadilly imbandierata con l'Union Jack, il concerto davanti a palazzo reale, la squadriglia acrobatica britannica che sorvola quello che è stato definito «il balcone più affollato del mondo». Un altro sono le periferie disagiate, i quartieri dove vivono le minoranze etniche, per tacere di Scozia e Irlanda del Nord, la prima animata dal desiderio di indipendenza, la seconda addirittura da quello di diventare una repubblica.

Forse in quei giorni, in apparenza così festosi, anche a palazzo reale si è avvertito un calo di consensi: non verso la sovrana, amata da tutti, ormai una leggenda nazionale, bensì verso l'istituto della monarchia in quanto tale. Un raffreddamento che potrebbe diventare ancora più marcato, ora che al posto di Elisabetta è salito al trono l'assai meno amato figlio Carlo, che di fatto già l'ha sostituita sempre più spesso nelle occasioni ufficiali, come è successo nel 2022 per l'inaugurazione dell'anno parlamentare al palazzo di Westminster.

Come se non bastasse il Commonwealth che volta le spalle alla monarchia, infatti, anche il Regno Unito rischia di restringersi. La Scozia insegue il sogno dell'indipendenza già portato avanti secoli or sono da Braveheart, il condottiero squartato in una piazza di Londra dopo essere stato fatto prigioniero con l'inganno dagli inglesi, come racconta il film omonimo con Mel Gibson e come ricorda una commovente targa a Charterhouse Square, accanto al macello di Londra: lo Scottish National Party (Snp) guida il governo autonomo di Edimburgo e vuole organizzare un referendum per la secessione dal Regno Unito entro breve tempo. Sarebbe il secondo di questo tipo, perché la Scozia ne ha già tenuto uno nel 2014, in cui i no all'indipendenza hanno prevalso 55 a 45 per cento. Ma, poche settimane prima del voto, i sì avevano la maggioranza nei sondaggi e a fare cambiare idea agli elettori fu anche un raro intervento della regina, che, sospinta dal primo ministro britannico Cameron a dire qualcosa per salvare l'unità nazionale, espresse la speranza che «gli elettori scozzesi pensino bene al futuro»: non era come suggerire loro cosa votare, ma poco ci mancava.

Da allora tuttavia, è cambiato qualcosa. Nel 2016 il Regno Unito intero ha votato in un referendum, decidendo 52 a 48 per cento di uscire dall'Unione europea con la cosiddetta Brexit, acronimo di Britain Exit, Britannia esce: si capisce da cosa ma non per andare dove, perché l'Europa è sulla sua porta di casa, mentre dall'altra parte c'è solo l'Atlantico, l'America è lontana e l'Impero britannico non esiste più da un pezzo. Questa nostalgia di grandezza imperiale, questa ubriacatura di nazionalismo, infarcita dalle menzogne populiste di Boris Johnson, ha prodotto una divisione all'interno del Regno Unito: perché mentre Inghilterra e Galles hanno votato per la Brexit, Scozia e Irlanda del Nord hanno votato per restare in Europa, con solide maggioranze per di più, il 65 per cento in Scozia, il 58 per cento in Irlanda del Nord.

Una delle ragioni per indurre gli scozzesi a votare contro l'indipendenza nel 2014 era che, se fossero usciti dal Regno Unito, si sarebbero trovati automaticamente anche fuori dalla UE, avrebbero dovuto chiedere di entrarci e il Regno Unito avrebbe potuto mettere il veto, perché l'ammissione di un nuovo membro va decisa all'unanimità. Adesso, tuttavia, vale il ragionamento contrario: votare per uscire dal Regno Unito è l'unica speranza degli scozzesi di essere riammessi nella UE, così confermando il loro voto contro la Brexit nel referendum del 2016. E con Carlo al posto di Elisabetta, una Scozia indipendente potrebbe dire basta a un monarca britannico come capo di Stato, passando al sistema repubblicano come hanno cominciato a fare le ex colonie del mar dei Caraibi e come minaccia di fare l'Australia.

Lo stesso ragionamento vale per l'Irlanda del Nord, dove lo Sinn Féin, il partito indipendentista, ha vinto le ultime elezioni e si batte per organizzare un referendum che ricongiunga l'Irlanda del Nord con l'Irlanda repubblicana: la parte principale e meridionale dell'isola, che ha già ottenuto l'indipendenza dal Regno Unito nel 1921. Anche per i nordirlandesi la Brexit è un fattore che, in nome della UE, spinge verso il divorzio da Londra e la riunificazione con Dublino. Perfino nel piccolo Galles, che pure ha votato per la Brexit, l'insoddisfazione per come vanno le cose adesso che la nazione è fuori dalla UE è così forte da aver fatto crescere nei sondaggi i consensi per l'Europa unita: se si tornasse a votare, vincerebbero i sì anche lì e non è escluso che un domani, se Scozia e Irlanda del Nord diventassero indipendenti, i gallesi non vogliano fare altrettanto.

Nel finale della propria vita, dunque, Elisabetta II è stata costretta ad assistere a una rivolta antimonarchica nel Commonwealth, contro di lei o contro l'istituto della Corona da lei fedelmente rappresentato. E ora che Carlo siede sul trono, la prospettiva che il regno si restringa potrebbe farsi più reale. Forse la Scozia potrebbe lasciare alla famiglia il castello di Balmoral, di cui i Windsor hanno la proprietà privata: ma per andarci dovrebbero entrare in un paese straniero. La fine di quel che resta dell'Impero e la prospettiva che il proprio paese diventi un Regno Dis-Unito hanno amareggiato gli ultimi mesi di vita della regina. E preoccupano il figlio, appena salito al trono con il nome di Carlo III, fin dai primissimi giorni del suo regno: il suo primo incontro, quando ancora non si è celebrato il funerale della madre, è con il segretario generale del Commonwealth e il suo primo viaggio è a Edimburgo, Belfast e Cardiff, capitali delle tre regioni che minacciano di ribellarsi a Londra. Carlo non vorrebbe ritrovarsi a essere soltanto il re della quarta, l'Inghilterra.

XII

IL LUNGO ADDIO

La BBC listata a lutto. I social media della famiglia reale oscurati. La Union Jack a mezz'asta sul pennone di Downing Street e su tutti gli edifici pubblici. Le partite della Premier League di calcio rinviate di una settimana. I colpi di cannone a Hyde Park e una montagna di mazzi di fiori lungo i cancelli di Buckingham Palace. La bara esposta al cordoglio popolare nella Westminster Hall, la grande sala del Parlamento sulle rive del Tamigi, accanto al Big Ben. Dieci giorni di lutto nazionale e poi un funerale di Stato in diretta tivù mondiale.

Sono alcuni dei dettagli dell'operazione «London Bridge», com'è ribattezzato in codice il piano per la morte della regina, trapelati quando nel 2021 l'intero documento finì su Politico, sito globale di news. Elisabetta II in quel momento stava bene, assicurò palazzo reale: l'indiscrezione non era collegata alle condizioni di salute della sovrana. Vista la sua età, poteva sembrare di malaugurio prevedere così accuratamente un estremo saluto, ma gli inglesi sono meno superstiziosi degli italiani e più pragmatici.

L'8 settembre 2022 quel piano diventa realtà. Viene eseguito alla lettera, preannunciato da una frase in codice: «*London Bridge is down*», è caduto il ponte di Londra. La frase non è scelta a caso: è l'inizio di una filastrocca nota a tutti i bambini inglesi. Ma va anche presa alla lettera, perché la morte della regina è come il crollo del ponte che teneva unito il suo regno. Cosa accadrà adesso non è chiaro, ma di sicuro non sarà più come prima.

Elisabetta si spegne al castello di Balmoral con accanto tutti i suoi familiari più stretti, il figlio primogenito ed erede Carlo e la moglie Camilla, da quel momento re e regina consorte, gli altri figli Anna, Andrea (per l'occasione riammesso in famiglia) e Edoardo, il nipote che un giorno sarà re, William, e l'altro nipote, l'esule Harry (che arriva per ultimo, anche lui senza la moglie, quando la sovrana è già spirata). «Un grande dolore» sono le prime parole di Carlo III, il nome scelto dal nuovo sovrano, nonostante i precedenti di malaugurio che racconteremo a breve.

Il giorno seguente il sovrano vola a Londra e parla alla nazione da Buckingham Palace, collegato in diretta tivù. È il primo discorso del re. «Sono qui con sentimenti di profonda tristezza e dolore» comincia in tono fosco. «La regina Elisabetta, mia amata madre, ci è stata di esempio. Le dobbiamo moltissimo. La sua è stata una vita ben vissuta.» Vestito nero, camicia bianca, cravatta nera, un fazzoletto a quadretti bianchi e neri che gli sbuca dal taschino: quest'ultimo forse leggermente frivolo per l'occasione. È reduce dal bagno di folla davanti a palazzo reale. Sulla scrivania, una sola foto in cornice, quella di Elisabetta. «Mia madre promise nel 1947, quando era erede al trono, di servire il suo popolo con devozione per tutta la vita e io rinnovo oggi la promessa, per il tempo che mi sarà dato di vivere, di servirlo con lealtà, amore e rispetto» continua Carlo. «Ora naturalmente la mia vita cambierà. Ma conto sul sostegno di Camilla, da diciassette anni mia adorata moglie, so che sarà all'altezza del suo ruolo di regina consorte.» Sottolinea un po' troppo «diciassette», come per ribadire che stanno insieme alla luce del sole da lungo tempo, per far dimenticare ciò che è venuto prima, «siamo in tre in questo matrimonio», il divorzio da Diana, la tragica morte di Lady D, eterno fantasma dei suoi tormenti.

«So che mio figlio William,» riprende «che oggi diventa principe di Galles assumendo i miei titoli, e sua moglie Catherine continueranno a essere una fonte di ispirazione. E voglio esprimere il mio amore per Harry e Meghan, mentre continuano a costruire le loro vite oltreoceano»: anche quelli sono, se non incubi dei suoi sogni notturni, spine nel fianco. Un cenno a ogni membro della famiglia reale ristretta, per fare pace con il passato e con il presente. Quindi il re ricorda che quando la madre salì al trono, nel 1952, il Regno Unito «era ancora reduce dalle privazioni della seconda guerra mondiale», nota che nei settant'anni del suo regno è diventato «una società multiculturale», in cui le istituzioni cambiano «ma i valori restano gli stessi, così come il ruolo e i doveri del monarca». Una pausa. Gli occhi si arrossano. La voce ha un lieve tremolio: per quanto non parli a braccio, avverte l'emozione del momento e della frase finale che ha preparato con i suoi *speechwriter*. «Alla mia cara mamma, nel momento in cui raggiunge il mio papà, dico solo questo: grazie, grazie per l'affetto e la devozione alla nostra famiglia e alla famiglia di nazioni che ha rappresentato diligentemente per tutti questi anni». Chiude con una citazione dall'*Amleto* di Shakespeare: «Possano voli d'angelo guidarti, cantando, al tuo riposo».

Intanto la bara di Elisabetta, alzata a spalle dai suoi sei guardiacaccia di Balmoral, viene caricata su un carro funebre (sull'auto che segue, a farle compagnia per questo ultimo viaggio, c'è la figlia Anna) e trasportata fra due ali di folla silenziosa fino a Edimburgo, quindi a Londra, per essere esposta inizialmente su un catafalco al cordoglio dei sudditi nella Grande Sala del Parlamento di Westminster, per 72 ore, 23 ore al giorno. Britannici di ogni età e di ogni ceto si mettono disciplinatamente in coda (anche a tarda notte) per offrirle una preghiera, un pensiero, un omaggio, ma ci sono ingressi con orario fisso per i vip: i membri della famiglia reale allargata, del governo, della camera dei Comuni e di quella dei Lord, oltre che aristocratici vicini ai Windsor. Il funerale di Stato, il primo da quello di Churchill nel 1965, avrà luogo, nel decimo giorno dopo il decesso della sovrana, nella vicina abbazia di Westminster, officiato dall'arcivescovo di Canterbury. Sarà sepolta nella cripta di famiglia al castello di Windsor, accanto alla tomba di Filippo. I giornali inglesi pubblicano edizioni speciali da conservare come un memento. I grandi della terra, che avevano già inviato commosse condoglianze, volano in Inghilterra per partecipare alle esequie.

Subito dopo il D-Day (Death Day), come viene chiamato in codice il giorno della morte della regina, allo stesso modo di quello dello sbarco in Normandia, si comincia a programmare l'incoronazione di Carlo, parte di un'altra operazione, nome in codice «Spring Tide»: ma per questa ci vorranno mesi, come del resto trascorse quasi un anno e mezzo per Elisabetta tra il giorno in cui diventò regina e quello in cui le fu formalmente posata la corona sulla testa.

È la fine di un'epoca. Cambiano le parole dell'inno nazionale britannico: *God Save the Queen*. Non si dirà più Dio salvi la regina, bensì *God Save the King*, Dio salvi il re. *King*, re: fa uno strano effetto pronunciare, ascoltare e leggere queste parole, dopo che per più di settant'anni ci eravamo abituati a *Queen* e regina. Dio salvi il suo popolo, scrivono piuttosto i giornali di Londra: ovvero lo salvi dall'avvento di un nuovo sovrano su cui molti hanno dubbi, dalle conseguenze della Brexit e della pandemia, dalla crisi economica, dalla guerra in Ucraina, dal cambiamento climatico. Già che c'è, se può, il Dio dell'inno nazionale britannico potrebbe proteggere tutti gli altri, credenti e non credenti, che sul pianeta terra hanno seguito per più di sette decenni la fiaba della royal family da lei alimentata. A dispetto dell'inno risuonato in continuazione nei sette decenni del suo regno, Elisabetta ha provveduto a salvarsi da sola.

È incredibile pensare a quanto sono cambiati il suo paese e il mondo dal giorno del 1952 in cui lei salì al trono. La popolazione del Regno Unito è cresciuta di un terzo, da 50 a 67 milioni di abitanti; quella del mondo è passata da 2 miliardi e mezzo a quasi 8 miliardi di persone. Nel 1952 il Regno Unito era la terza potenza economica del pianeta alle spalle di Stati Uniti e Unione Sovietica, e proprio quell'anno diventò, dopo Usa e Urss, il terzo paese dotato di armi nucleari: oggi è sceso in classifica all'ottavo posto delle maggiori potenze industriali e sta per essere superato dall'India: la sua ex colonia.

Nel 1957 la Russia lancia lo Sputnik, il primo satellite in orbita intorno alla terra: e per qualche notte, a ogni latitudine, i terrestri spiano il cielo a occhio nudo oppure con cannocchiale e telescopio per individuare quel puntino luminoso in movimento, compresa Elisabetta, sospinta da Filippo, sempre appassionato di scoperte scientifiche, che lo fa da una finestra di Buckingham Palace. Nel 1969 l'astronauta americano Neil Armstrong diventa il primo uomo a sbarcare sulla luna, «un piccolo passo per l'uomo, un grande balzo per l'umanità» le sue parole ai piedi della scaletta, e pochi mesi più tardi viene ricevuto con tutti gli onori dalla regina e dal marito a palazzo reale.

Dalla televisione in bianco e nero si passa al colore, dalla tivù alle videocassette e poi ai dvd, da questi ultimi a Netflix e agli altri canali in streaming.

Dalla gracchiante telefonata con cui le arrivò notizia in Africa della morte del re suo padre agli smartphone e a internet, le email, i social media: la regina ha inviato il suo primo tweet nel 2012, la casa reale è presente su Facebook e Instagram, manca solo su TikTok.

Dalla nascita del rock and roll ai Beatles, che lei stessa nomina baronetti, dai Sex Pistols che cantano una versione punk e smitizzante di *God Save the Queen* alla musica in streaming e ai podcast sulla casa reale (per il Giubileo, confesso, ne ho fatto uno anch'io).

Dalle battaglie per i diritti civili degli anni Sessanta al movimento Black Lives Matter che abbatte la statua di uno schiavista a Bristol e chiede di cambiare il nome di un college a Oxford, dall'apartheid in Sudafrica a Mandela presidente che chiama la regina per nome, come una vecchia amica. Dalla guerra fredda in cui la Russia è il nemico al crollo del Muro di Berlino e dell'Urss – quando la storia sembra finita, come predice un famoso politologo –, sino alla guerra in Ucraina dove Mosca è di nuovo un nemico, che manda i suoi killer ad assassinare i dissidenti con il polonio radioattivo e il gas nervino nelle strade di Londra e di Salisbury.

Dalla legge che decriminalizza l'omosessualità, approvata in Gran Bretagna nel 1965, settant'anni dopo il processo e l'incarcerazione a Londra di Oscar Wilde per «atti osceni», fino al matrimonio gay voluto nel 2014 da un premier conservatore, David Cameron, «perché la famiglia è un valore conservatore».

Dalla lunga pressione per entrare nell'Europa unita, in cui la Gran Bretagna viene infine ammessa nel 1974, al referendum con cui ha deciso di uscirne, la Brexit, nel 2016. Da un Impero britannico che la vedeva ancora capo di Stato in settanta paesi quando è salita sul trono, a un Commonwealth in cui rimane capo di Stato soltanto di una quindicina, anch'essi sul punto di diventare repubbliche in un ultimo rigurgito di protesta contro il colonialismo.

E attraverso tutto questo, l'intramontabile nonnina ha continuato a diffondere la stessa immagine di sé: i caratteristici cappellini o i fazzoletti legati in testa come usavano le nostre mamme, gli abiti dai colori pastello, l'immancabile borsetta nera, più utile per segnalare ai suoi cortigiani di trarla d'impaccio mettendo fine a un'udienza o a una cerimonia che per portarsi dietro qualcosa, anche se contiene quello che ci si potrebbe aspettare, un fazzolettino, un rossetto, un pettine.

Del resto, abbiamo avuto il tempo di prepararci: il suo è stato un lungo addio. È iniziato con la morte del marito Filippo nella primavera del 2021, presagio della sua stessa mortalità. Poi è venuto il suo ricovero per una notte in un ospedale di Londra, lo stesso in cui era stato operato al cuore il marito pochi mesi prima di morire, per un disturbo che Buckingham Palace non chiarisce: sulle condizioni di salute della regina prevale il rispetto della privacy, anche da parte dei famigerati tabloid. Aveva già cancellato i viaggi all'estero per ragioni di età, si era già isolata a Windsor per la pandemia, ora cancella anche gli eventi in patria, non va a inaugurare il summit sul clima a Glasgow, manca l'inaugurazione dell'anno parlamentare a Westminster, si fa sostituire da Carlo per l'assegnazione di titoli e onorificenze.

Quando riappare, per tagliare il nastro della Elizabeth Line, la linea di treni veloci che collega Londra a Manchester e che porta il suo nome, si appoggia a un bastone. Pare che soffra di un disturbo alle gambe, forse un problema di ginocchia, forse di circolazione del sangue. «Faccio fatica a stare in piedi» la si sente dire chiaramente mentre riceve nel suo ufficio, appoggiata al bastone, due nuovi generali dello stato maggiore: la scena è ripresa dalla BBC, che una volta tanto non censura l'audio. Dicono che Elisabetta rifiuti ostinatamente di apparire in sedia a rotelle, del resto anche il presidente americano Franklin D. Roosevelt faceva di tutto per nasconderla, ma è possibile che nei lunghi corridoi del castello di Windsor, quando non la vede nessuno, sia costretta a usarla.

Poi si ammala di Covid, nonostante le tre dosi di vaccino, ma supera anche questa crisi: «Ci si sente effettivamente indeboliti» è il suo unico commento pubblico. L'ennesimo *understatement*, da parte di un'incrollabile ragazza che in quel momento ha 96 anni. Forse anche lei sente che il momento si avvicina, ma non ha alcuna intenzione di abdicare: «Vi servirò per tutta la vita», la promessa che fece nel suo primo discorso, nel 1952, è rimasta valida sino alla fine.

Certo, ogni tanto, nelle ultime apparizioni, come quando visita il Chelsea Flower Show su una di quelle macchinine elettriche dei campi di golf, esibisce un sorriso un po' esagerato, quasi infantile, un po' insolito per una che non voleva sorridere in pubblico nemmeno da giovane, «vengo male nelle foto» sosteneva, e che in effetti ha sorriso poco in vita sua, assumendo spesso un'espressione un po' arcigna. Ma se è il segnale che non si rende bene conto di dov'è o cosa sta facendo, nessuno in Inghilterra lo dice o lo scrive. La vera ragione per cui non abdica è probabilmente inconfessabile: teme i problemi che causerà il regno del suo successore diretto. Più a lungo lei vive, più Carlo sarà vecchio quando salirà al trono, più breve sarà il suo regno prima di cedere la corona al più popolare William, in coppia con la formidabile Kate.

«Sono commossa dalle manifestazioni di affetto nei miei confronti» dice all'apertura dei festeggiamenti del Giubileo nel giugno 2022. «Sono fonte di tanti bei ricordi. Spero che questi giorni di celebrazioni serviranno a riflettere su tutto quanto abbiamo realizzato nei passati settant'anni, mentre guardiamo al futuro con fiducia ed entusiasmo.» Guardare «al futuro», detto da una novantaseienne, dovrebbe spingere anche i pessimisti più incalliti a non arrendersi mai e conservare sempre la speranza. Un tipico messaggio elisabettiano.

Sì, c'era una volta una regina, appena salita al trono, nel lontano 1952, e c'è ancora, settant'anni più tardi, nei giorni del Giubileo di Platino, mentre il Regno Unito celebra l'epopea di una sovrana senza eguali. Certo, non tutti l'hanno festeggiata: il 30 per cento dei suoi sudditi preferirebbe una repubblica e le ex colonie come la Giamaica, ferite dallo schiavismo, si preparano ad abolire il suo ruolo e la monarchia, rompendo l'ultimo retaggio del British Empire. Hanno riconosciuto lei, sia pure brontolando, come capo di Stato, ma non faranno altrettanto con Carlo. Eppure, l'attenzione e il rispetto nei confronti di questa regina travalicano i confini nazionali, facendone un personaggio di dimensioni storiche.

Una ragione dell'attenzione e del rispetto per Elisabetta, come ho scritto all'inizio di questo racconto, è il suo record di longevità: una vita lunga quasi un secolo, di cui sette decenni con la corona in testa. Sono passati sedici premier britannici da Winston Churchill a Liz Truss, tredici presidenti degli Stati Uniti da Eisenhower a Biden, sette pontefici da Pio XII a papa Francesco (per tacere della cinquantina di presidenti del Consiglio italiani), mentre ad agitare la mano sul balcone di Buckingham Palace ha continuato a esserci sempre lei. Ma il secondo motivo, concordano i commentatori e gli storici a Londra ora che la regina ci ha lasciati, è più sostanziale e importante: in un mondo di perenni contrasti, destra e sinistra, nord e sud, ricchi e poveri, bianchi e neri, Elisabetta è rimasta sempre al di sopra delle parti, simbolo di un'imparzialità mai pilatesca o indifferente, bensì portatrice di un messaggio che mira a unificare e confortare, anziché dividere e provocare.

Avere mantenuto con dignità e decoro un simile atteggiamento per così tanto tempo ha finito per farne una figura universale, un'icona della tradizione, intesa come le nostre radici, ma anche della capacità di adeguarsi ai cambiamenti e rinnovarsi. La sua fu la prima incoronazione trasmessa in diretta tivù. Ora palazzo reale posta le sue foto ufficiali sui social media. Non tutto ha funzionato per il verso giusto, nei settant'anni di The Queen: tre divorzi su quattro figli, le polemiche sulla scarsa empatia inizialmente dimostrata davanti alla tragica morte della principessa Diana, il dorato esilio di Harry e Meghan in California accompagnato da accuse di razzismo alla royal family, infine lo scandalo peggiore, gli abusi sessuali del principe Andrea. Ma anche questo l'ha resa familiare, l'ha avvicinata a noi tutti che non abbiamo corone e castelli: divorzi, bisticci in famiglia e scandali (possibilmente non brutti come quello provocato da Andrea ma comunque dolorosi) fanno parte dell'esistenza di ognuno.

Quando è apparsa per l'ultima volta sul famoso balcone, ed era la prima volta senza avere al suo fianco il marito Filippo, accanto ai tre re che un giorno prenderanno il suo posto, sprizzava comprensibilmente soddisfazione nei panni dell'intramontabile madre, nonna e bisnonna della nazione. «Questo è ciò di cui la gente ha bisogno, qualcosa per sollevarsi il morale e distrarsi dalla pandemia, dalla guerra in Ucraina, dall'inflazione che sale vertiginosamente» ha commentato David Quinn, uno delle decine di migliaia che hanno riempito The Mall, il viale che conduce a Buckingham Palace, per celebrarla nei giorni del Giubileo. «È stata l'unica costante in un mondo in continuo cambiamento» gli ha fatto eco la *royal watcher* Penny Junor.

Ora quelle immagini resteranno nella memoria del suo popolo, un fotogramma dietro l'altro del lungo addio della sovrana più amata della storia britannica. Gli aerei che sfrecciano in cielo sopra palazzo reale, prima i vecchi bombardieri della seconda guerra mondiale, poi i caccia supersonici odierni, infine la pattuglia acrobatica delle Red Arrows che lascia una scia rossa, bianca e blu come i colori della Union Jack. Il principino Louis, il più piccolo dei tre figli di William e Kate, che fa le boccacce sul balcone di Buckingham Palace attirando su di sé l'attenzione di tutti i fotografi e della bisnonna, che ha l'aria di divertirsi. L'incontro fra le due Lilibet, la figlia di Harry e Meghan, che compie il suo primo anno di vita, e la sovrana, che ha novantacinque anni di più. La pronipote si chiama proprio così, Lilibet, per la bisnonna è soltanto il diminutivo coniato da lei stessa quando era bambina: l'evento, per quanto la famiglia reale ne diffonda solo qualche foto, contribuisce a riportare un po' di serenità tra i Windsor dopo la fuga in America dei duchi del Sussex, anche se il rapporto fra Harry e William sembra ancora gelido. Per chiudere, il principe Carlo che, al grande concerto rock davanti a Buckingham Palace, a cui sua madre non assiste perché stanca e provata, chiede alla folla di gridarle gli auguri abbastanza forte da farli sentire fino a Windsor, a una ventina di chilometri di distanza. Con il contorno di una sbornia nazionale nei pub, aperti oltre l'orario solito della mezzanotte, e negli *street parties*, i banchetti nelle strade chiuse al traffico.

In tanti hanno fatto gli auguri alla regina anche da più lontano, immaginando che fosse una delle ultime occasioni: Barack e Michelle Obama che le sono rimasti affezionati anche dopo aver lasciato la Casa Bianca, Joe e Jill Biden che in quel momento la occupano, il presidente francese Macron con un messaggio struggente che ha ricordato l'ospitalità data dal padre della regina, re Giorgio VI, e dall'allora primo ministro britannico Churchill, al generale Charles De Gaulle, in esilio a Londra quando la Francia fu conquistata dai nazisti. In quei giorni, i giorni peggiori del conflitto, Churchill e De Gaulle pranzavano, come niente fosse, seduti insieme al ristorante dell'Hotel Savoy. Ed Elisabetta, ragazzina, era un meccanico ausiliario della British Army. La sua biografia si intreccia con la nostra storia. Anche noi italiani, che per ironia della sorte nello stesso giorno del 2 giugno abbiamo commemorato come ogni anno l'addio alla monarchia e la nascita della repubblica, possiamo salutarla con simpatia.

C'è qualcosa di malinconico nel Platinum Jubilee, per gli inglesi e per la stessa sovrana. Se in passato i giubilei rappresentavano una celebrazione della nazione e del suo spirito, quello del 2022 non rende omaggio alla monarchia, sorta di specchio del tempo in cui gli inglesi più tradizionalisti possono rivedere i fasti dell'Impero britannico, e nemmeno alla royal family, in fondo ormai simile alle famiglie comuni, come abbiamo visto, tra figli che si separano, baruffe tra fratelli e indecenze. La festa non celebra neppure i simulacri del potere: il premier Boris Johnson, invischiato nel Partygate, le cene illegali a Downing Street durante la pandemia, che mettono profondamente in crisi il suo governo e gli fanno rischiare le dimissioni, viene sonoramente fischiato mentre insieme alla moglie Carrie sale i gradini della cattedrale di St Paul per il Royal Thanksgiving, il servizio di ringraziamento alla regina per tutto quello che ha dato al proprio paese.

E sebbene le strade del centro di Londra siano piene di gente, gli aeroporti della capitale sono ancora più pieni di inglesi che approfittano dei due giorni extra di ferie regalati per l'occasione e partono per una breve vacanza all'estero: in un sondaggio su YouGov sono più coloro che si dicono «non interessati» al Giubileo di quelli che si dicono interessati. Un altro sondaggio, condotto tra gli inglesi fra i 14 e i 24 anni, rivela che il 41 per cento preferirebbe avere un presidente rispetto a un 31 per cento che preferisce tenersi un monarca.

Sì, la Gran Bretagna cambia, non è più quella di una volta. Anzi, è già cambiata e ancora di più cambierà la monarchia britannica. Anche la stessa Elisabetta è stata capace di cambiare, pur restando sé stessa: questa è la sua forza. Nello specchio magico del Giubileo, sostiene un *columnist* del «Guardian», stavolta vediamo il futuro, non il passato, del Regno Unito.

E vissero tutti felici e contenti: così si concludono di

solito le favole. Ma non sappiamo come finirà la favola dei Windsor, ora che sulla sua protagonista è calato il sipario. Sappiamo soltanto che, tra guerre e disastri naturali, crisi economiche e attentati terroristici, insomma fra tutte le minacce e i problemi del nostro tempo, la regina Elisabetta ha rappresentato una benvenuta distrazione. Perché c'è sempre bisogno delle fiabe: anche quando si è adulti. Nonostante i riti anacronistici e i privilegi del suo ruolo, non è necessario essere monarchici per riconoscere che non ci sarà più una regina come lei. Non ci sarà più una ER, Elisabetta Regina, il significato in latino della sigla che appare dovunque in Inghilterra. Come scrive il «Financial Times», bastione dell'establishment, dopo settant'anni di regno Elisabetta era il personaggio britannico più conosciuto nel mondo, eppure rivelava poco di sé stessa: alcune dichiarazioni sfuggite qui e là, il tradizionale discorso di Natale e qualche altro intervento in occasione di gravi momenti, come la pandemia, quando ha riesumato il titolo di una vecchia canzone d'amore, *We'll meet again*, ci incontreremo di nuovo, per dire al suo popolo che l'isolamento sarebbe finito. I suoi eredi Carlo e William hanno già parlato molto più di quanto lei abbia fatto in oltre settant'anni sul trono.

Vale nel suo caso la regola vecchio stampo che gli inglesi pretendono, o almeno pretendevano un tempo, dai bambini: «*To be seen, not heard*», farsi vedere ma non farsi sentire. E i suoi sudditi, che considerano la discrezione uno dei pregi nazionali, l'hanno amata anche per questo. Niente gaffe, a differenza di suo marito. Nessuna crisi coniugale, almeno che si sappia, a differenza dei figli. Tantomeno frequentazioni inopportune con miliardari americani pedofili o fughe in California per mescolarsi ai divi di Hollywood. Si dice che fosse scontenta del rifiuto di Margaret Thatcher di criticare l'apartheid in Sudafrica, ma non lo ha mai espresso pubblicamente. L'allora premier conservatore David Cameron l'ha convinta a infilare un «pensateci bene» in un discorso agli scozzesi, allusione al referendum sull'indipendenza dal Regno Unito: presumibilmente voleva dire «pensateci bene, prima di lasciare il mio regno», del quale fa parte il castello di Balmoral, proprio in Scozia, sua residenza preferita. Una volta ha punzecchiato gli economisti, dopo la grande crisi finanziaria del 2008, quando durante una visita alla Banca d'Inghilterra chiese all'uditorio di esperti banchieri come mai nessuno l'avesse «vista arrivare». Ma la sua influenza concreta sulla vita pubblica nazionale è stata minima, per non dire inesistente. La sua ricchezza, che un tempo ne faceva il cittadino britannico più ricco, rimane ampia, ma non fa più impressione accanto alle fortune di sceicchi, petrolieri e miliardari della rivoluzione digitale. Nel XXI secolo ha perfino accettato di pagare le tasse.

Quello che l'ha distinta di più è il senso del dovere, una virtù spesso dimenticata ai giorni nostri, anche se per la maggioranza dei suoi compatrioti, e del resto del mondo, la sua vita si potrebbe riassumere con una lunga sequela di cappellini colorati, borsette quadrate al braccio e cagnolini corgi ai piedi. Come il tè, Elisabetta è la quintessenza dell'Inghilterra. Certo, niente è per sempre. Negli ultimi anni aveva perso il marito e delegato sempre più funzioni al figlio Carlo, come l'inaugurazione dell'anno parlamentare, i viaggi e le cerimonie più impegnative. È stato lui a passare in rassegna le truppe, un po' instabile in groppa a un mansueto cavallo, durante Trooping the Colour, il momento saliente del Giubileo 2022, tanto da spingere alcuni a scrivere che eravamo già davanti a una fase di transizione e che il figlio primogenito era già diventato di fatto un principe reggente.

Quando si è trattato di ricevere il giuramento della nuova premier Liz Truss, il 6 settembre 2022, per la prima volta la cerimonia non si è svolta a Londra, a Buckingham Palace, ma a Balmoral: prima è arrivato Boris Johnson a rassegnare formalmente le dimissioni, quindi è stata concessa un'udienza alla donna che ne ha preso il posto a Downing Street. I portavoce di palazzo reale hanno diffuso soltanto una foto della giornata, il momento in cui la sovrana stringe la mano a Liz Truss. Elisabetta non era mai apparsa così fragile: magrissima, con il dorso della mano annerito, forse dai lividi di una flebo?, e con un'aria vagamente spaesata, un sorriso non caratteristico, come se non capisse bene cosa stava facendo. La decisione di non obbligarla a viaggiare fino a Londra, hanno spiegato nell'occasione fonti di palazzo reale, era stata presa dai medici, per «non farla stancare»: in apparenza a causa dei più volte citati «problemi di mobilità» alle gambe. In effetti Elisabetta è apparsa in piedi, ma appoggiata a un solido bastone. Le due udienze, costringendo il premier uscente e quello entrante a prendere due aerei di Stato separati per raggiungere la Scozia e tornare subito indietro, sono durate soltanto pochi minuti. Eppure, il giorno seguente, sempre per «ordine dei medici», la regina ha cancellato un'altra tradizione del passaggio dei poteri, che sarebbe comunque avvenuta in collegamento video su Zoom o qualche altra piattaforma: l'incontro con il Privy Council, ovvero il Consiglio privato di Sua Maestà, un organo che di tanto in tanto il sovrano consulta sull'esercizio delle prerogative reali, di cui fanno parte il primo ministro e i più importanti membri del governo. La ragione? «Si era stancata troppo il giorno prima.» Tutti segnali di un declino fisico o forse psicofisico: gli ultimi passi del lungo addio che l'ha infine portata a uscire di scena.

Passano altre ventiquattr'ore e palazzo informa che la regina è «sotto osservazione medica» e che i suoi dottori sono «preoccupati per le sue condizioni di salute»: un bollettino senza precedenti. Suona come l'inizio della fine, lasciando la nazione attonita. Lo speaker della camera dei Comuni interrompe il dibattito in corso sulla crisi energetica per chiedere solennemente ai deputati di «pregare per la regina». Poche ore più tardi, la BBC interrompe le trasmissioni: «Buckingham Palace ha annunciato che Sua Maestà Elisabetta II è morta serenamente al castello di Balmoral» dice un giornalista vestito di nero. La piangono in tanti, anonimi cittadini e personaggi famosi. Mick Jagger riassume i sentimenti di molti: «Sua Maestà la regina Elisabetta è stata con me tutta la vita. Da bambino la ricordo come una donna giovane e bella, adesso era diventata la nonna della nazione».

Fino all'ultimo aveva fatto il suo dovere: accettando le dimissioni di un premier e il giuramento di un altro appena due giorni prima di andarsene. Fino all'ultimo la regina non si è arresa. Chissà se tre mesi prima, mentre guardava passare gli squadroni della Royal Cavalry, affacciata al balcone di Buckingham Palace con uno dei suoi sorrisi più soddisfatti, le era sovvenuto il ricordo degli incontri settimanali con il primo premier del suo regno, Winston Churchill, nel 1952. Churchill la adorava. Ogni martedì alle sei di pomeriggio in punto le faceva visita a palazzo reale. Alan Lascelles, all'epoca segretario privato della regina, restava a origliare fuori dalla porta: non sentiva nulla di quelle conversazioni tra la giovane capo di Stato e l'anziano primo ministro, ma ogni tanto udiva «un'esplosione di risate». Quando l'udienza terminava, «generalmente Churchill usciva con le lacrime agli occhi» dalla commozione, rammenta il segretario. Una volta il premier gli confidò: «Sua Maestà è una vera bellezza stasera». Ne era quasi paternamente innamorato. Poi Churchill andava a sedersi nell'ufficio del segretario, accendeva il sigaro, beveva un whisky-and-soda e gli rivelava la parte della conversazione che riteneva opportuno condividere.

Se questo ricordo le è balenato alla mente nel momento in cui la nazione, il Commonwealth e un po' il mondo intero onoravano la sua lunga carriera, può darsi che a destarla, a farla tornare con gli occhi sul presente, sia stato il rumore di zoccoli dello squadrone di cavalleria che sfilava sotto il suo balcone. È possibile, perché nulla piaceva a Elisabetta quanto i cavalli. Avrà goduto nel guardare quelli del reggimento che trottavano sotto Buckingham Palace durante il Giubileo così come ammirando i magnifici destrieri del Royal Windsor Horse Show, annuale appuntamento di esibizioni equestri, uno dei suoi impegni preferiti, a cui aveva presenziato pochi giorni prima. Se lasciamo correre un po' la fantasia, possiamo immaginare uno dei segretari con cui aveva più confidenza, o magari il figlio Carlo, ripeterle in quel preciso momento il proverbiale verso di Shakespeare, messo in bocca a Riccardo III nell'omonimo dramma teatrale: «Un cavallo, un cavallo, il mio regno per un cavallo!». Di certo c'è che per ridarle il sorriso, per toglierle i cattivi pensieri del nuovo *annus horribilis*, per non farle sentire la mancanza di Filippo, per non pensare all'esilio di Harry, alle accuse di Meghan, allo scandalo di Andrea, alla rivolta del Commonwealth, alla prospettiva che il suo regno dopo di lei si restringesse, agli impegni cancellati, alla possibilità dell'abdicazione, alla fine della vita, davvero per Elisabetta II non c'era niente di meglio dei cavalli.

Io stesso ho avuto modo di verificarlo quando, diversi anni fa, me la sono ritrovata davanti all'ippodromo di Ascot.

XIII

UN DRINK AD ASCOT

In un pomeriggio di sole del 1711, uscita a cavallo dal castello di Windsor con i suoi scudieri al seguito, la regina Anna si ritrova in un ampio prato che, nelle sue parole, «sembra ideale per galoppare alla massima andatura». Qualche settimana dopo, la «London Gazette» del 12 luglio annuncia piani per costruire in quel punto esatto un ippodromo. La prima gara risale all'agosto dello stesso anno: in realtà ci sono soltanto le staccionate per delimitare il percorso. Occorrono anni, anzi secoli, per aggiungere tutto quello che c'è oggi: tribune, gradinate, scuderie e un buon numero di ristoranti e bar.

Ascot è l'ippodromo più famoso d'Inghilterra. Non il più antico: lo ha preceduto quello di Newmarket, la cittadina a nord di Cambridge sede annuale della più grande asta di cavalli d'Europa. Ma Ascot, situato a 10 chilometri dal castello di Windsor, nella contea di Berkshire, ospita il 10 per cento delle corse britanniche di galoppo, è visitato da 600.000 spettatori l'anno e ha un fascino unico al mondo. La settimana di corse più importante di questo storico circuito è il Royal Meeting, anche detto Royal Ascot, che si tiene ogni anno in giugno ed è il momento saliente della cosiddetta *season*, sottinteso *summer*: il calendario della stagione estiva di appuntamenti dell'alta società londinese, che con il passare del tempo ha coinvolto tutta la società, le classi previlegiate ma pure tutte le altre, il popolo intero insomma. Gli eventi chiave del calendario sono tre: il Chelsea Flower Show, più grande rassegna floreale d'Europa, con allestimenti incredibili che arrivano da ogni continente, un concorso per premiare i migliori, e fiumi di Pimm's; Wimbledon, il torneo di tennis più importante del mondo, l'unico dove i giocatori sono ancora obbligati a vestirsi di bianco, dove oltre a bere fiumi di Pimm's si mangiano tonnellate di fragole con panna, un classico del programma; e infine, appunto, le corse di Ascot.

La regina non va a Wimbledon: il tennis non è il suo sport, ma a rappresentarla manda suo cugino, il principe di Kent, presidente della federazione tennis inglese, e in genere anche William o Kate o entrambi a consegnare l'ambito trofeo al vincitore. In compenso la sovrana non si perde mai il Flower Show, sebbene nel 2022, per i suoi ricorrenti problemi alle gambe, abbia dovuto visitarlo su una macchinetta elettrica. E non ha mancato un Royal Ascot da quando è salita al trono, tranne l'ultimo, tre mesi prima di morire. Come allevatrice e proprietaria di purosangue da corsa, Elisabetta ha un interesse personale nelle gare. Come esperta cavallerizza fin da quando era bambina, ha un amore speciale per gli animali. Si trova bene con quegli enormi quadrupedi e a suo agio con i fantini, perfino con gli stallieri, perché sa esattamente come e di cosa parlano.

È il suo ambiente, perché Elisabetta è fondamentalmente una gentildonna di campagna: perciò preferisce Windsor a Buckingham Palace, e ancora di più Balmoral e Sandringham. A Balmoral ha pescato il primo salmone a 13 anni e ha ucciso il primo cervo a 15, dopodiché il guardiacaccia che l'accompagnava le ha spalmato il sangue caldo dell'animale sulle guance, come vuole la tradizione. A Sandringham è andata a lungo a caccia di fagiani, seppure a un certo punto, per ragioni di età, senza più imbracciare il fucile. Nel 2004, i tabloid hanno pubblicato una sequenza di foto scattate con il teleobiettivo in cui si vede l'ottuagenaria sovrana colpire più volte con un bastone da passeggio un fagiano ferito, abbattuto da uno dei cacciatori, per ucciderlo. La scena poteva sembrare sinonimo di crudeltà d'animo e certo non è piaciuta agli animalisti. Ma uccidere un volatile ferito a morte è un'abitudine da pratica campagnola: un modo per farlo smettere di soffrire. Elisabetta lo ha fatto per riflesso condizionato, senza pensarci due volte: in quei casi si fa così e basta.

A Windsor ha imparato a 5 anni ad andare a cavallo, continuando fino ai 95, l'età che aveva l'ultima volta che è montata in groppa a un pony: che poi non sono pony come li intendiamo noi in Italia, ma semplicemente cavallini un po' più tozzi e un po' più piccoli del normale. Di cavalli e di corse di cavalli è un'esperta come pochi altri. Tradizionalmente è lei stessa a consegnare la Gold Cup e il Diamond Jubilee Stakes, i premi per le corse più importanti di Ascot. Qualche volta sono i suoi fantini, riconoscibili per il colore delle giubbe, viola e oro, con berretto nero, e i suoi cavalli, a vincere. È ad Ascot che ha incontrato e premiato i due fantini più celebri della storia inglese, Lester Piggott, che morirà nel 2022, a 87 anni, e l'italo-inglese Frankie Dettori.

L'ippodromo ha quattro settori, rigidamente separati e distinti dal costo dei biglietti: posti popolari, gradinate e tribune sono aperti al pubblico, mentre la tribuna reale, il Royal Enclosure, è riservata alla famiglia del sovrano e ai suoi ospiti. Quest'ultimo settore ha un codice di abbigliamento rigoroso: per gli uomini significa indossare il frac con il cappello a cilindro, per le donne un abito lungo con cappellino. Un'etichetta introdotta nell'Ottocento da Lord Brummell, amico del principe reggente e famoso arbitro dell'eleganza, la cui statua in bronzo adorna Jermyn Street, alle spalle di Piccadilly, nella zona dei club per gentiluomini. Il Queen Anne Enclosure è quello che noi definiremmo la tribuna numerata, i cui spettatori hanno accesso al Parade Ring, l'area in cui ogni giorno, durante la settimana di Royal Ascot, arriva la regina in carrozza da Windsor per poi accedere al Royal Enclosure. Gli spettatori di questo settore sono invitati a intonare l'inno nazionale e canzoni patriottiche dopo le corse: il dress code rimane formale, ma più rilassato rispetto al Royal Enclosure, per gli uomini è sufficiente un abito scuro e la cravatta, per le donne il vestito può essere corto, le spalle nude, ma è d'obbligo un cappellino o almeno un *fascinator*, una spilla infilata nei capelli. Nel terzo settore, il Windsor Enclosure, ognuno si veste come gli pare. Il quarto, il Village Enclosure, è situato sul prato antistante il circuito di corse: si rimane in piedi, è lo spazio più popolare e colorito, con stand per mangiare all'aperto e musica dal vivo. È anche il settore più vicino ai cavalli: quando passano al galoppo, zolle di fango volano in faccia agli spettatori sparate dagli zoccoli.

I biglietti che ho preso per me e mia moglie sono del Queen Anne Enclosure, la tribuna numerata, perché voglio vedere bene da vicino la regina. Ma l'esperienza di andare ad Ascot inizia ancor prima di arrivarci: si assapora già prendendo il treno speciale che dalla stazione londinese di Waterloo porta all'ippodromo in poco più di mezz'ora. Nella settimana di Royal Ascot, ovvero delle corse a cui assiste Sua Maestà, le carrozze del treno sono piene di uomini e donne vestiti di tutto punto, alcuni in smoking, alcuni in frac, alcuni con il cappello a cilindro sebbene non sia richiesto al di fuori della tribuna reale, per tacere degli abiti lunghi o corti delle signore, dei cappellini colorati, di velette e ombrellini, importanti non solo per ripararsi con grazia dal sole ma soprattutto dalla pioggia, perché giugno in Inghilterra può essere freddo e molto bagnato. Ma agli inglesi non interessa: se il calendario dice che siamo nella *season*, ovvero in estate, per loro è estate. Le donne sono tutte senza calze e con le spalle nude: del resto vestono così anche quando vanno a ballare in gennaio. Prendere il treno per Ascot dà insomma la sensazione di partecipare a una grande festa in costume.

Arrivati a destinazione, dopo un paio d'ore di attesa ho il mio secondo incontro ravvicinato con Sua Maestà: me la vedo passare davanti a un palmo dal naso, accompagnata dalla figlia Anna, altra grande appassionata di cavalli, dal figlio minore Edoardo con sua moglie Sofia, e da un buon numero di dame di compagnia, parenti più lontani, amici aristocratici. Anche il corteo delle carrozze, trainate da magnifici cavalli, ha un che di festa in maschera, come se recitassimo tutti in una rappresentazione teatrale: noi del pubblico siamo le comparse, ora sono finalmente entrati in scena gli attori principali. Inclusa la protagonista assoluta: Elisabetta. Dura qualche minuto: quando il corteo delle carrozze è terminato e tutti gli ospiti della royal family vanno a sedersi nella tribuna reale, cominciano le gare. Alle quali, come in ogni ippodromo, si può scommettere: lo facciamo anche mia moglie e io, senza vincere niente, ma divertendoci lo stesso. Ispirati dai nostri vicini, che a ogni corsa bevono un altro drink, ordiniamo Pimm's anche noi tra una gara e l'altra: un liquore così leggero che va giù come fosse limonata, neanche te ne accorgi.

Sono appunto in coda al bar per riempire di nuovo i bicchieri, quando comincia una corsa: ci sono televisori dappertutto, per cui è possibile seguirle anche da lì. Fra i concorrenti, stavolta c'è anche un cavallo della regina. Uno dei monitor inquadra il palco reale, in cui vedo Elisabetta che segue l'andamento della gara con febbrile concentrazione, quasi seduta sulla punta della sedia. E quando un attimo dopo l'altoparlante annuncia il vincitore, deve trattarsi del suo cavallo, del suo fantino, perché la regina alza le braccia al cielo, stringe i pugni, allarga un sorriso di giubilo a tutti denti e si lascia scappare, non serve un esperto per leggere il labiale, uno «*Yeeeees!*» degno di un tifoso di calcio allo stadio quando la squadra del cuore segna un gol. Tutti i vicini si congratulano con lei. Poi Sua Maestà riprende l'abituale compostezza. È la dimostrazione, se ce ne fosse bisogno, che Elisabetta II è umana. Prova emozioni, proprio come noi. È in grado di entusiasmarsi come una bambina. I maligni osserverebbero che riserva più entusiasmo, passione e calore umano per le bestie che per gli esseri umani. Ma forse la verità è un'altra: con marito, figli, nipoti, non vuole lasciarsi andare, almeno in pubblico. Con cagnolini e cavalli, si permette il lusso di essere sé stessa. E comunque, se uno ama gli animali, non può essere una cattiva persona.

XIV

TRE RE

C'era una volta un re. Dopo Elisabetta, ce ne saranno tre: nell'ordine, Carlo, William e George. Non è un caso che, poco dopo la nascita di quest'ultimo nel 2013, la regina abbia voluto posare per un ritratto ufficiale insieme soltanto a loro: lei, il figlio, il nipote e il pronipote. Come dire: la dinastia è assicurata, quando me ne andrò, so già a chi lasciare il mio regno, per almeno tre generazioni, fino al XXII secolo. Lo scopo dell'immagine, nelle intenzioni della sovrana, era rassicurare i sudditi, inviando un segnale di stabilità. In fondo, nella monarchia costituzionale britannica il ruolo di Sua Maestà è limitatissimo: il suo potere non è effettivo, è più forma che sostanza, firmare leggi, impartire decorazioni, leggere discorsi scritti da altri in rappresentanza del governo. A parte il saluto natalizio alla nazione in tivù, e qualche altra occasione speciale, il contributo del monarca alla vita del paese è minimo. Si può dire che il suo solo vero compito sia preservare l'istituzione che rappresenta ed Elisabetta lo ha fatto in due modi: con una lunga vita e procreando un erede, che ha procreato un altro erede, che ha procreato un altro erede. Eppure, la foto di questa indomita donna e dei tre uomini destinati, uno dopo l'altro, a prenderne il posto suscita anche perplessità. Cominciamo dal primo.

Se c'era un re sbagliato, per succedere a Elisabetta II, era Carlo. Prima di tutto, quando sale al trono è troppo vecchio per la parte, ultrasettantenne. L'esperienza è importante, per regnare, ma a parte il fatto che Elisabetta è diventata regina a 25 anni e se l'è cavata benissimo fin dall'inizio, un leader – di qualunque genere – deve trasmettere una sensazione di vitalità: e Carlo ha superato da un pezzo l'età in cui normalmente si va in pensione. Secondariamente, non potrà mai liberarsi, per quanti sforzi faccia, dello spettro di Diana: se la prima cosa che chiunque pensa guardandolo è «quanto è anziano», la seconda è «marito fedifrago». A parte i seguaci della teoria della cospirazione, secondo cui Carlo sarebbe addirittura un assassino, il mandante della morte dell'ex moglie, evidentemente uno che tradisce la consorte potrebbe tradire anche in altri campi: e il tradimento non è una bella caratteristica per colui che rappresenta l'identità nazionale. Terzo problema, il suo carattere. Da un lato, debole, come ha detto con amaro disprezzo il suo stesso padre: «Io sono un pragmatico, mio figlio è un romantico». Dall'altro, irascibile: ci sono numerose testimonianze di Carlo che perde le staffe.

Ne dà una dimostrazione due giorni dopo la morte della madre. Si dice che un'immagine valga più di mille parole. Ebbene, mentre Carlo III giura fedeltà alla patria e al popolo, firmando l'atto di proclamazione a re, compie un piccolo gesto rivelatore del suo carattere: nella sala del palazzo di St James, fa imperiosamente cenno ai segretari e servitori di togliere un astuccio di stilografiche dal tavolino a cui è seduto, perché evidentemente gli tolgono spazio, lo infastidiscono e lui comunque ha la propria penna nel taschino della giacca. Un moto di stizza, accompagnato da una smorfia di evidente fastidio, sotto gli occhi di duecento membri del Privy Council, il consiglio di cui fanno parte, fra gli altri, sei ex premier britannici, deputati e lord. E, ancora più importante, sotto lo sguardo delle telecamere della BBC, che per la prima volta nella storia filmano in diretta la solenne cerimonia.

Nei successivi servizi sull'evento, la televisione di Stato britannica evita accuratamente di mostrare di nuovo la scenetta: diciamo pure che la censura. Anche i giornali inglesi, nel clima di lutto per la scomparsa di Elisabetta II e di rispetto per l'insediamento del suo erede, ne scrivono poco o niente. Ma il momento non passa inosservato sui social media, dove quei fotogrammi diventano virali: «Un gesto da vero snob» è uno dei tanti commenti al post. Qualcuno giustifica in parte l'attimo di stizza con l'emozione che Carlo deve provare, tra il dolore per la perdita della madre e l'ascesa al trono così lungamente attesa. Ma non è un ragazzo, ha quasi 74 anni e si preparava a questa occasione da una vita. L'emozione era comprensibile in Elisabetta, quando diventò regina a 25 anni e fu incoronata a 26: eppure non sbagliò una mossa. E mai, in settant'anni di regno, la si è vista lasciarsi andare a un gesto di collera verso i servitori, perlomeno pubblicamente. Senza arrivare a fare della psicologia spicciola su un comportamento durato pochi secondi, l'irritazione di Carlo III nei confronti dei sottoposti non depone bene sull'uomo che è appena diventato re.

Su di lui se ne sentono tante, a cominciare dal fatto che è viziato: si fa spremere il dentifricio da un valletto sullo spazzolino da denti, porta con sé in aereo il materasso dovunque va perché non riesce a dormire su altri giacigli, un autentico «principe sul pisello», per parafrasare la favola della principessa che per un singolo baccello di verdura non è capace di prendere sonno. E poi dice troppo la sua, come testimonia la fitta corrispondenza ribattezzata dai giornali «Black Spider», ragno nero, con cui Carlo esponeva a ministri e politici il proprio parere sui più svariati argomenti. Una violazione del sacro principio dell'imparzialità del sovrano, che sua madre Elisabetta ha sempre rigidamente rispettato, non facendo conoscere una sola opinione personale in settant'anni e oltre di regno. L'ultima prova che non riesce a stare zitto arriva nel 2022, quando bolla come «un'idea terribile» il programma del governo di Boris Johnson di deportare in Ruanda, l'ex colonia britannica a 10.000 chilometri di distanza nel cuore dell'Africa, i migranti clandestini che sbarcano illegalmente nel Regno Unito attraversando la Manica. Carlo ha ragione:

l'idea è davvero «terribile». Ma un re o un futuro re devono rimanere imparziali e il giorno dopo i tabloid glielo ricordano con aspri titoloni in prima pagina, tirandolo per le orecchie come se fosse uno scolaretto. E dire che all'epoca ha quasi 74 anni.

Il principe ha le sue scusanti. Ha avuto un'infanzia difficile, un primo matrimonio disastroso e la più lunga attesa della storia per salire al trono. Forse con queste premesse non poteva avere un carattere docile e paziente. Ma le malelingue hanno abbondante materiale tra cui pescare per dileggiarlo. Una volta, invitato con Camilla a trascorrere il weekend a casa di amici aristocratici, Carlo fa spedire in anticipo, oltre al proprio letto completo di materasso ortopedico, lenzuola e coperte, anche il sedile della toilette, rotoli di carta igienica Kleenex Premium Comfort, il suo whisky preferito Laphroaig, acqua minerale di sua scelta e due quadri con panorami delle Highlands scozzesi. Una seconda spedizione recapita il cibo biologico di suo gradimento. L'esperienza è così scioccante, confidano i suoi ospiti, che decidono di non invitarlo mai più.

Un'altra volta, invitato da amici per il fine settimana in Galles, il venerdì pomeriggio il principe fa sapere che sarebbe arrivato non quel giorno ma il sabato, il sabato informa gli amici che non sarebbe arrivato per il *lunch* ma per cena e nel pomeriggio comunica che non sarebbe arrivato per niente. La delusione non viene mitigata quando Carlo fa sapere la ragione per la cancellazione: si è sentito incapace, spiega agli amici, di abbandonare la bellezza del suo giardino inondato di sole. Un uomo romantico, ma pure insopportabilmente pieno di sé.

John Riddell, suo segretario privato dal 1985 al 1990, racconta che Carlo andava puntualmente nel suo ufficio lamentandosi come un bambino: «Oh, il mondo è così ingiusto, io devo sopportare questo onere tremendo e sono circondato da incompetenti!». L'ufficio fino a un attimo prima funzionava, sostiene Riddell, ma dopo l'intervento del principe non funzionava più.

Camilla non sarebbe da meno, in quanto a vizi e capricci: in occasione di un viaggio in America in cui lei e Carlo devono salire su un volo di linea della British Airways, la duchessa fa di tutto per ottenere un jet privato, cedendo soltanto dopo un lungo braccio di ferro. Sempre secondo le indiscrezioni circolate nel corso degli anni, il principe si irrita terribilmente se scopre che alcuni dei suoi amici miliardari, come lord Rothschild, uno dei trenta da lui invitati alle nozze con Camilla, hanno al proprio servizio più giardinieri di lui: 15 contro 9.

In compenso Carlo viaggia sempre con al seguito un maggiordomo, due valletti, un cuoco, un segretario, una dattilografa e naturalmente le guardie del corpo. Si dice anche che non sia un nonno molto affettuoso, e che passi mesi senza incontrare i nipoti: perciò Kate lo avrebbe isolato dai propri figli, facendo svolgere un ruolo più importante ai nonni materni. Chi ricorda le immagini del principino Louis in braccio a Carlo durante le celebrazioni per il Giubileo di Platino, può essere tratto in errore, ipotizzando grande familiarità e affetto tra nonno e nipote. In realtà, non si vedono quasi mai.

«Nessuno sa che inferno sia essere il principe di Galles» è una frase che viene spesso attribuita a Carlo, ma il vero inferno, ritengono in molti, arriverà ora che è diventato re. E dire che in un pomeriggio del 2010 ha rischiato di uscire dalla linea ereditaria in modo traumatico e violento.

Mentre Carlo e Camilla, a bordo di una vecchia Rolls-Royce da parate del 1977, si stanno recando a teatro, le due auto di scorta, che seguono e precedono la Rolls del principe di Galles, rimangono imbottigliate nell'ingorgo creatosi su Regent Street, come succede quasi ogni sera all'ora in cui aprono i teatri, reso ancora più caotico dalla presenza di centinaia di studenti in fuga dagli scontri con la polizia davanti al Parlamento di Westminster durante una manifestazione. Un folto gruppo di dimostranti, appartenenti all'ala più dura e radicale, inclusi militanti di gruppi anarchici, si è allontanato dapprima verso Trafalgar Square, dove ha dato fuoco al grande albero di Natale issato ogni inverno vicino al monumento di Nelson, e poi ha proseguito in direzione di Piccadilly Circus, imboccando Regent Street.

Le comunicazioni radio usate dalla scorta del principe, per un errore, non sono sulla stessa frequenza delle forze che si stanno scontrando con gli studenti a poche centinaia di metri di distanza. Così il convoglio reale non si rende conto di trovarsi tanto vicino ai manifestanti e ci finisce in mezzo. La Rolls-Royce del principe rimane bloccata davanti a Hamleys, il famoso negozio di giocattoli. Inizialmente Carlo scambia saluti e qualche parola con gli studenti, ma ben presto i dimostranti scatenano la loro rabbia, gridando: «Abbasso i Tories, abbasso l'aristocrazia, tagliamo la testa ai reali». Probabilmente non hanno davvero intenzione di tagliargliela, e nemmeno si sono portati dietro una ghigliottina portatile o una spada, ma nessuno può prevedere come finirà l'incidente. Un dimostrante riesce a infilare un bastone nel finestrino posteriore dell'auto e colpisce Camilla a un fianco. Carlo l'attira a sé e la sospinge verso l'interno della vettura per proteggerla, ma una pietra crepa il finestrino sul lato opposto e il tumulto sembra in procinto di provocare danni ancora più seri. Allora la guardia del corpo in smoking, seduta di fianco all'autista, mette la mano sulla pistola Glock con proiettili da 9 millimetri che tiene nella tasca della giacca. Sta per estrarla e aprire il fuoco, preoccupato per l'incolumità di Carlo e Camilla. Forse l'agente sparerebbe, se in quel momento il conducente in livrea non trovasse un varco nel traffico, accelerando e allontanandosi. Dopo due minuti di terrore, l'auto può raggiungere il vicino teatro dove i principi assistono a uno spettacolo di gala.

Sull'accaduto viene aperta un'inchiesta. Numerosi deputati chiedono le dimissioni del capo della polizia e del capo della scorta reale, il conte Peter St Clair-Erskine, già coinvolto in due controversie negli anni precedenti, quando un uomo travestito da Osama bin Laden è riuscito a partecipare a una festa dei principi William e Harry, e uno in costume da Batman si è issato, ancora una volta!, sul balcone di Buckingham Palace per rivendicare maggiori diritti ai padri dopo il divorzio. La regina Elisabetta, afferma un portavoce, è «scioccata e sconvolta» da quanto è accaduto al figlio. L'unica a non avere avuto apparentemente paura è Camilla: «C'è una prima volta per tutto» minimizza la duchessa, nel suo unico commento sull'episodio, una volta arrivata a teatro.

È forse anche questo sangue freddo, simile al proprio, a farle guadagnare gradualmente le simpatie della sovrana. All'inizio Elisabetta non la vede di buon occhio: se il matrimonio di Carlo e Diana è fallito, con le rovinose conseguenze che ha avuto, in fondo è anche colpa di Camilla. Sarebbe bastato che dicesse di no a Carlo, lo lasciasse, gli ricordasse i suoi doveri reali: di matrimoni infelici ce ne sono tanti. Invece è chiaro che anche lei ha spinto Carlo nel precipizio. Ma poi, fatti i conti, la sovrana si rende conto che Camilla è la sposa giusta per il figlio e la persona giusta per il futuro della monarchia. Tanto quanto Carlo appare debole, lei sembra forte, anche fisicamente: è una roccia. Tanto quanto Diana era umorale, lei sembra fatta tutta d'un pezzo: mai turbata da niente, prende la vita come viene, un giorno alla volta. È riuscita a instaurare un buon rapporto con William e Harry, cosa che non era certo facile per una matrigna che loro potevano vedere come corresponsabile del divorzio dei genitori e, in ultima analisi, della perdita della mamma. Anche Diana era di famiglia aristocratica, ma Camilla sa stare nella parte, rispetta le regole, non sbaglia una mossa. Soprattutto, non sgomita per apparire e nemmeno per avere incontri con la regina. Discrezione, *understatement*, ironia e coraggio: tutte doti che Elisabetta apprezza, perché le incarna anche lei.

Da «siamo in tre in questo matrimonio» a «regina consorte»: così si conclude dunque il lungo viaggio di Camilla Parker Bowles. È il desiderio espresso da Elisabetta II in un messaggio alla nazione nel settantesimo anniversario della sua ascesa al trono: e per il momento e il modo in cui arriva è lecito definirlo un ordine. In fondo non è vero che, in una monarchia costituzionale come il Regno Unito, Sua Maestà non decide niente. «Quando mio figlio Carlo diventerà re, so che darete a lui e a sua moglie Camilla lo stesso sostegno che avete dato a me» afferma la sovrana nel discorso diffuso dalla casa reale il 6 febbraio 2022, la ricorrenza della sua ascesa al trono. «Ed è mio sincero desiderio» aggiunge «che quel giorno Camilla sia conosciuta come regina consorte.» Quando ha sposato Carlo, in seconde nozze per entrambi, Camilla è diventata duchessa di Cornovaglia. Nella sostanza, una volta salito al trono Carlo, sarebbe diventata comunque regina consorte, come è stato per ogni moglie di re in precedenza. Mancava, tuttavia la formalità. E gliel'ha data Elisabetta, la regina più grande della storia britannica: quindi non si discute.

La cautela nel rivendicare l'ambizione di farsi chiamare regina ha da parte di Camilla un motivo nascosto: secondo la rivelazione fatta dalla principessa Diana nella famosa intervista alla BBC, e del resto mai smentita dagli interessati, il rapporto extraconiugale di Carlo è iniziato mentre lui era ancora sposato con Lady D. Camilla è stata insomma, per parlare chiaro, l'amante dell'erede al trono, che tradiva la moglie andando a letto con lei. Come se questo fatto costituisse il suo peccato originale, ha dato l'impressione di non voler diventare mai regina consorte. Forse sentiva l'ostilità di almeno una parte della popolazione, rimasta affezionata a Diana. Non voleva sembrare un'usurpatrice. Quel ruolo era originariamente destinato a Lady D, prima moglie di Carlo: come poteva lei, l'amante, l'intrusa, la causa del matrimonio fallito secondo l'opinione dominante, venire proclamata regina al suo posto? Non sarebbe suonata come un'ingiustizia sommaria? Non avrebbe risvegliato il dissenso nei confronti della monarchia, già emerso davanti alla freddezza di Elisabetta quando scomparve Diana? O non poteva addirittura resuscitare la teoria del complotto, secondo cui i Windsor si erano messi d'accordo per fare scomparire Diana anche con lo zampino di Camilla, che adesso avrebbe la spudoratezza di farsi chiamare regina?

Se la regina Elisabetta ha stabilito che sia venuto il momento di superare questo problema è perché Camilla, secondo i sondaggi, adesso raccoglie ampi consensi tra la gente. Il tempo ha risanato le ferite, la tragica morte di Diana è lontana, il suo tempestoso divorzio da Carlo lo è ancora di più. Sebbene non siano storie dimenticate: il serial *The Crown* ha contribuito a risvegliarne la memoria in mezzo mondo. È probabile che Elisabetta II abbia discusso la sua decisione con Carlo e con la stessa Camilla, con la quale ha ottime relazioni e ha cominciato a farsi vedere alle cerimonie, talvolta loro due sole. Ed è possibile che Buckingham Palace abbia informato in anticipo anche il principe William, un altro che avrebbe potuto risentirsi per la decisione.

Oltre a indicare il desiderio che Camilla diventi a pieno titolo «regina consorte» quando Carlo sarà re, nel suo discorso la sovrana ricorda il 6 febbraio 1952 non solo «come il giorno d'inizio del mio regno ma anche come quello della morte di mio padre, re Giorgio VI», l'avvenimento che innescò precocemente la sua successione.

Ci sono stati tanti monarchi d'Inghilterra, a partire da Alfredo il Grande nell'871 e Guglielmo il Conquistatore nel 1066, alcuni celebri come Riccardo Cuor di Leone, il sovrano delle Crociate, come Enrico VIII, il re delle sei mogli, e come Elisabetta I, la regina dell'era shakespeariana. Ma ci sono stati soltanto dodici monarchi britannici da quando il regno d'Inghilterra si è unito al regno di Scozia nel 1707, tre dei quali donne: la regina Anna Stuart, che regnò solo per sette anni, seguita da Giorgio I, Giorgio II, Giorgio III, Giorgio IV e Guglielmo IV; la regina Vittoria, che ha regnato per più di sessantatré anni, seguita da Edoardo VII, Giorgio V, Edoardo VIII e Giorgio VI.

Dopo Elisabetta II, da qui alla fine del secolo, toccherà dunque ad altri tre uomini, il primo dei quali ha già scelto il nome. Secondo Dickie Arbiter, ex portavoce di Buckingham Palace, per ragioni scaramantiche avrebbe fatto meglio a non optare per Carlo III, perché il nome Carlo viene considerato sfortunato. Carlo I d'Inghilterra fu decapitato nel 1649 dopo la guerra civile che vide l'instaurazione dell'effimera repubblica guidata da Oliver Cromwell. E suo figlio Carlo II, salito al trono nel 1660 dopo diciotto anni in

esilio, viene ricordato soprattutto per le numerose amanti: un parallelo che l'erede di Elisabetta potrebbe preferi-
re non sottolineare. Come se non bastasse, un pretenden-
te al trono, sconfitto in battaglia nel 1746, aveva assunto
proprio il nome di Carlo III. D'altra parte, cambiare nome
quando si sale al trono è una tradizione iniziata nel 1837
con la regina Vittoria, che in realtà si chiamava Alessan-
drina. Quattro degli ultimi sei sovrani hanno cambiato
nome, inclusi gli ultimi due, Edoardo VIII, che all'anagra-
fe si chiamava David, e Giorgio VI, che si chiamava Alberto. La scelta di chiamarsi Giorgio VII in omaggio a suo
nonno, che ha fatto in tempo a conoscerlo ed era amatissimo da Elisabetta, sarebbe stata anche un omaggio alla
propria madre.

Nessun dubbio invece per sua moglie, che è diventata la
regina Camilla. Regina consorte, d'accordo, ma pur sempre regina. Camilla Rosemary Shand – più tardi Camilla
Parker Bowles dopo il primo matrimonio, Camilla duchessa di Cornovaglia dopo il secondo matrimonio con Carlo,
e ora Camilla regina consorte – non se lo sarebbe certo immaginato. Ma il sangue aristocratico lo ha ereditato dalla
madre, figlia del terzo barone di Ashcombe. E l'inclinazione al ruolo dell'amante potrebbe averlo preso da una
bisnonna, che andava a letto con re Edoardo VII. C'è anche lei, affacciata a Buckingham Palace, per le celebrazioni del Giubileo di Platino: un balcone per due regine, una
che sta per scomparire, l'altra che sta per arrivare. La ri-
vincita dell'amante. O, semplicemente, degli amori con-
trastati e difficili: la dimostrazione che c'è sempre una seconda chance nella vita. Forse solo per Carlo non c'è una
seconda chance: l'opinione che sarà un re di passaggio, un
re di transizione, se non addirittura un pessimo re, sembra difficile da smantellare.

E dire che Carlo è anche un uomo sensibile, spiritoso
e per molti versi un progressista, interessato alla difesa
dell'ambiente, all'agricoltura biologica, alla lotta al cambiamento climatico. Ma si è anche distinto per le sue cam-
pagne conservatrici. Nel 2008 sfoderò la spada per fer-

mare il progetto di estensione della National Gallery in Trafalgar Square con queste parole rimaste famose: «Somiglia a un mostruoso foruncolo sul volto di una persona amata». E paragonò i palazzi moderni tirati su nel cuore di Londra ai danni compiuti dai bombardieri nazisti durante il Blitz: «I nostri architetti della ricostruzione hanno fatto peggio di Hitler».

Peccato, si commenta a Londra, che nella vita della royal family non ci sia anche la possibilità di saltare un turno. Se Carlo avesse rinunciato volontariamente al trono, dicendo per tempo alla regina di non sentirsi adatto, di essere troppo anziano, appesantito dallo scheletro di Diana nell'armadio e dalle tante frustrazioni accumulate nel corso della vita, forse sarebbe stato ammirato e amato come ha sempre desiderato e come gli non è mai accaduto. Peccato, perché se c'era un re perfetto per succedere a Elisabetta II, era William, non Carlo. Chissà quanti sudditi di Sua Maestà lo hanno pensato, nei giorni del Giubileo di Platino. Lo penseranno in tanti anche nel resto del mondo, dove le vicende dei Windsor vengono seguite come una favola perlopiù lieta, con qualche pagina drammatica, talvolta perfino tragica, ma comunque adatta a distrarci dagli altri più gravi problemi del nostro tempo. Bello come sua madre Diana, perlomeno quando era ragazzo: da uomo ha assunto la fisionomia un po' equina del padre, del quale rimane comunque decisamente più attraente. Accompagnato da Catherine Middleton detta Kate, una moglie amata da tutti, che non sbaglia mai una mossa. Genitore di tre bambini adorabili, George, Charlotte e Louis, che mettono allegria soltanto a guardarli. Dopo la scomparsa della nonna, William avrebbe suscitato un'ondata di simpatia e affetto in patria come all'estero, interpretando l'immagine di una monarchia vivace e vitale, probabilmente pronto a modernizzarla com'è necessario.

E invece no: dopo Elisabetta è toccato al figlio, non al nipote. I sondaggi dicono che il popolo preferirebbe il salto di una generazione, ma Carlo non ha alcuna intenzione di abdicare: da troppo tempo aspettava di avere la corona sulla testa, ci tiene troppo a calarsi nella parte alla quale si è preparato per una vita, non sembra turbato dal fatto di apparire come un re vecchio. Lo dice espressamente nel suo primo discorso da sovrano, come per avvertire che non abdicherà mai al trono: «Mia madre promise di servire il suo popolo tutta la vita e io rinnovo la stessa promessa per tutto il tempo che Dio mi darà da vivere». Quanto a William, dà l'impressione di avere enorme rispetto per il padre, se non autentica devozione. A scanso di equivoci, lo afferma nel suo primo discorso da erede diretto al trono, dopo la morte di Elisabetta: «Onorerò la memoria di mia nonna e il suo esempio sostenendo mio padre, il re, in ogni modo possibile». Il difficile divorzio tra i suoi genitori, la figura di Camilla, prima amante e poi matrigna, le tesi dei teorici della cospirazione sulla morte di Diana non sembrano avere minimamente guastato i rapporti padre-figlio, nonostante fosse in certa misura legittimo attenderselo. Nessun complesso di Edipo, nessuna congiura del figlio che vuole eliminare il padre per vendicare la madre: e l'eliminazione più crudele in questo caso non sarebbe fisica, bensì dinastica, tramando per togliergli il posto a cui papà aspirava da sempre.

La condanna di William è essere il re giusto al momento sbagliato. Nel 2022 ha compiuto 40 anni ed è ancora un uomo giovane o perlomeno giovanile. Se Carlo vivrà quanto la madre, e quanto la nonna materna, William potrebbe avere 60 anni o più quando verrà il suo turno: a quel punto non sarebbe più la stessa cosa. Da membro della famiglia reale con il senso del dovere, accetterà di aspettare anche lui, come ha aspettato suo padre: ma nel frattempo la magia potrebbe essere evaporata. Se l'era di re Carlo si rivelerà un disastro per la monarchia britannica, quando William la erediterà sarà tardi per rinnovarla, rilanciarla, modernizzarla, come lui ha già promesso di fare, senza togliere del tutto la patina di sfarzo che contribuisce a renderla magica e ad attirare la curiosità del pianeta, ma interpretandola a modo suo, come un re più alla mano, più accessibile, anche più semplice, meno circondato di lusso e stravaganze

ottocentesche. Un re alla mano, ma non da dare in pasto ai
media: è proprio il duca di Cambridge, vincendo una causa contro il settimanale francese «Closer» per le foto in topless rubate a Kate in vacanza, a mettere un punto fermo
nella guerra con i paparazzi e in difesa del diritto alla privacy. Un modo per vendicare la madre Diana, che dei paparazzi è stata troppo spesso la fonte e la vittima.

William Arthur Philip Louis, questi i nomi imposti al
battesimo, nasce il 21 giugno 1982 al St Mary's Hospital di
Londra, lo stesso ospedale pubblico (nella costosa ala privata, però) in cui verranno al mondo i suoi figli. A nove
mesi d'età è già in viaggio ufficiale con Carlo e Diana, per
un tour di Australia e Nuova Zelanda, nel quale a sua insaputa appaiono i primi segni di gelo nella coppia. Vive
con i genitori a Kensington Palace, va alle elementari e alle
medie in scuole private, per le superiori viene ammesso a
Eton. Nel frattempo, nel 1996, papà e mamma divorziano. L'anno dopo, quando William ha 15 anni e suo fratello
Harry 12, la principessa Diana muore nell'incidente d'auto a Parigi insieme al fidanzato Dodi Al-Fayed. I due fratelli sono al castello di Balmoral, in Scozia, con la regina e
il padre: Carlo aspetta che si sveglino per comunicare loro
la notizia. William seguirà il funerale a testa bassa, senza
versare una lacrima, fedele alla regola che ai reali è proibito mostrare emozioni: un piccolo principe che già si comporta da futuro re.

Dopo Eton, dove brilla soprattutto nella squadra di calcio, lo sport che resterà la sua passione, si iscrive all'università a St Andrews, in Scozia: studia storia dell'arte per poi
passare a geografia. Si laurea con 2.1, un buon voto, non il
massimo, ma l'esperienza più importante dei banchi di studio è l'incontro con Kate, la donna della sua vita. A differenza del fratello minore, che cambia spesso ragazza, William
non ha altre relazioni importanti. Nel 2010 vanno a vivere insieme, in un cottage del Galles, mentre William presta
servizio come elicotterista della RAF. Poi si trasferiscono in
un cottage del Norfolk, a nordest di Cambridge, quando
lui diventa pilota di eliambulanze. Nel 2011 si sposano, a

Westminster Abbey, la stessa chiesa in cui si è celebrato il funerale di Diana: corsi e ricorsi della favola reale. Al dito della sposa, accanto alla fede, spicca l'anello di fidanzamento donatole da William, che apparteneva a Lady D. La regina assegna loro un titolo, duca e duchessa di Cambridge, e dona loro una casa, nella tenuta di Sandringham. Passa un anno e nel 2012 arriva il primo bebè, George, anche lui futuro re: ne seguiranno altri due, la principessina Charlotte nel 2015 e il principino Louis nel 2018.

Ma mentre costruisce la felicità nella sua nuova famiglia, William vede spezzarsi il rapporto con il proprio fratello. A lungo, uniti dalla morte della mamma, sono sembrati una cosa sola, tanto che nemmeno il matrimonio di William con Kate riesce a dividerli. Li separa però il matrimonio di Harry con Meghan, fonte di gelosie fra le due spose che creano zizzania anche tra i fratelli. Dopo la morte di Diana, la freddezza con Harry è il secondo grande dolore della vita di William. Al funerale di Filippo, complice Kate che al termine della cerimonia funebre quasi li sospinge uno verso l'altro, William e Harry per qualche minuto sembrano ritrovare il rapporto che avevano da piccoli, il maggiore protettivo, il minore che pende dalle sue labbra. Poi, però, ognuno prosegue per la sua strada, in direzioni differenti, distanti, Harry ribelle come in fondo appariva fin da bambino, William eterno bravo ragazzo, disciplinato e generoso.

Tra i due fratelli c'è una tregua per rendere omaggio alla nonna Elisabetta: William invita Harry e Meghan a unirsi a lui e a Kate, tre giorni dopo la morte della regina, e vanno a guardare insieme i fiori deposti dalla gente lungo le mura del castello di Windsor e a stringere mani alla folla. Ma i due giovani uomini, pur vicini, non si rivolgono parola, Kate guarda Meghan soltanto di sfuggita, il *body language* trasmette freddezza se non rancore, più che riappacificazione. Però se ne vanno tutti e quattro insieme, sul fuoristrada Audi guidato da William: cosa si saranno detti, quando sono rimasti soli? «A volte i funerali riavvicinano parenti che si erano allontanati» commenta una donna dietro le transenne. A volte: chissà se vale anche per i due figli del nuovo re.

Dovranno passarne di anni, non altri quaranta ma forse altri venti, per vedere William sul trono ieri di sua nonna, oggi di suo padre, anche se il successore perfetto di Elisabetta sarebbe stato lui. Non è un caso che nel settembre 2022 William abbia deciso di andare ad abitare in un cottage con quattro camere da letto, relativamente modesto per gli standard della famiglia reale, a dieci minuti di distanza dal castello di Windsor, lasciando l'appartamento di Kensington Palace dove aveva vissuto fino a quel momento con Kate e prole: ufficialmente per dare una vita più normale, tranquilla e bucolica ai figli, iscritti a una vicina scuola privata, ma forse inconsapevolmente per essere più vicino alla regina nella fase finale della sua vita, quasi a stabilire un passaggio di testimone fra l'anziana sovrana e il nipote che meglio la rappresenta agli occhi del popolo britannico e del mondo intero.

Se ci sarà un re in grado di rivoluzionare veramente la monarchia, quello tuttavia non è William, bensì George: primo sovrano della storia inglese e britannica nato da una *commoner*, una madre non di sangue blu, e attraverso di lei discendente di minatori di carbone. Solo che George salirà verosimilmente al trono fra mezzo secolo e se è difficile immaginare come sarà il mondo del 2073, è impossibile immaginare come sarà un sovrano britannico tra la fine del XXI e l'inizio del XXII secolo. La sua nascita, il 22 luglio 2013, segna soltanto la seconda volta, nella storia del Regno Unito, in cui tre generazioni in linea diretta di successione per il trono sono vive allo stesso tempo, una situazione verificatasi soltanto tra il 1894 e il 1901, negli ultimi sette anni del regno della regina Vittoria: e già così, con il suo primo vagito, il principino ha rafforzato la corona.

Il parto è breve, naturale e rapido, salutato da ventun colpi di cannone del reggimento delle guardie reali a Hyde Park e dalle campane di Westminster Abbey che suonano a festa. L'effetto *royal baby* dà una spinta all'economia nazionale e diffonde una ventata di ottimismo nel paese. Il

piccolo principe ha soltanto nove mesi quando si imbarca
con i genitori per un primo viaggio ufficiale in Australia
e Nuova Zelanda in cui viene descritto dai giornali come
«la stella dello show». A 2 anni viene iscritto all'asilo nido
Montessori del Norfolk, vicino al cottage dove vive con i
genitori. Ha 3 anni quando incontra il presidente americano Obama, in pigiama, in groppa al cavallino di legno re-
galatogli dal capo della Casa Bianca. A 6 anni comincia le
elementari a Londra, alla Thomas School di Battersea, con
il nome di George Cambridge: la scuola dove nel 2018 un
militante dell'Isis vorrebbe organizzare un attentato contro
di lui, ma viene scoperto ancora prima di provarci e condannato all'ergastolo. E a 7 anni, durante la pandemia, insieme alla sorellina Charlotte applaude per un minuto i dipendenti del servizio sanitario nazionale. Già da bambino
viene inserito nella lista dei «50 uomini più eleganti di Gran
Bretagna» pubblicata dalla rivista «Gq»: merito di mamma
Kate, che in verità lo veste un po' all'antica, con i sanda-
li blu, i calzettoni bianchi, i pantaloni corti e le magliette a
righe tipici dei primi anni Sessanta.

Che uomo sarà George, quando diventerà davvero un
uomo, nessuno lo sa. Un programma satirico della tivù
britannica lo dipinge come ribelle, con una predisposi-
zione per le parolacce e per un umorismo osceno: difficile da immaginare per un bambino sempre così compito
in pubblico. Un cartone animato inglese predice che ren-
derà la vita difficile ai suoi genitori e alla monarchia. In
verità, nelle apparizioni ufficiali con i genitori, i nonni o
la sua bisnonna regina, George appare sempre estrema-
mente disciplinato, non fa mai le bizze, sembra casomai
piuttosto timido, certo più della sorella e del fratellino,
decisamente più scatenati di lui, come dimostra il piccolo Louis sul balcone di Buckingham Palace durante la parata del Giubileo di Platino, quando ruba la scena a tutti
facendo smorfie e intrattenendo la sovrana. George invece tace. Al massimo sbadiglia, o stringe gli occhi perché
gli dà fastidio il sole.

Ha soltanto 4 anni quando, dopo la pubblicazione di una

foto che lo ritrae mentre, salendo in elicottero con il padre e la madre, si cinge il volto con le mani, la testa leggermente reclinata e un dolce sorriso, la rivista «PinkNews» (alla lettera, Notizie Rosa), mensile degli omosessuali britannici, lo definisce «un'icona gay». L'etichetta scatena forti polemiche. Jim Allister, leader di Traditional Unionist Voice, un partito unionista nordirlandese, afferma che l'articolo è «scandaloso e nauseante» e chiede alla testata di cancellarlo dal proprio sito. Ma Benjamin Cohen, direttore del giornale, rifiuta, sostenendo che il tono dell'articolo è soltanto scherzoso e di non voler accettare critiche da parte di «un uomo politico notoriamente omofobo e oppositore dei diritti della comunità Lgbt», affermando che l'articolo è stato ispirato da centinaia di commenti sulla foto apparsi sui social media. «Il principe George è diventato un'icona gay dalla mattina alla sera» scrive Josh Jackman nel pezzo apparso su «PinkNews». «Il futuro monarca è sempre stato carino e ben vestito, ma un giorno dopo avere compiuto 4 anni una sua foto con le mani sulla faccia ha aggiunto un'altra dimensione alla sua personalità. Almeno, questo è quello che molte persone, *sorry*, molti suoi sudditi, dicono.» Citando come esempi Madonna e Lady Gaga, la rivista sottolinea che non c'è bisogno di essere gay per diventare un'icona gay.

George ha tutta la vita davanti. Resterà sul trono fino al prossimo secolo. Se un giorno dell'anno 2100 riguarderà la foto che lo ritrae bambino su un divano, a Buckingham Palace, accanto alla bisnonna Elisabetta, al nonno Carlo e al padre William, penserà che, dopo una regina, sono venuti tre re. Vedremo se riusciranno a non farla rimpiangere. Di sicuro, non potranno farla dimenticare. Per lui come per tutti noi, che ne siamo stati contemporanei, Elisabetta II verrà ricordata come l'ultimo grande del Novecento. L'ultima regina.

CRONOLOGIA

21 aprile 1926	Elizabeth Alexandra Mary Windsor nasce a Londra alle 2.40 del mattino a casa dei genitori in Bruton Street
21 agosto 1930	Nasce Margaret, la sua sorella minore
20 gennaio 1936	Muore suo nonno, re Giorgio V, facendo salire al trono il figlio primogenito, Edoardo VIII
10 dicembre 1936	Edoardo VIII abdica, per poter sposare Wallis Simpson, una divorziata americana, e al suo posto diventa re il fratello minore, Giorgio VI, padre di Elisabetta, che da quel momento è l'erede al trono
20 novembre 1947	Elisabetta sposa Filippo Mountbatten
14 novembre 1948	Nasce Carlo, primo figlio di Elisabetta e suo erede
15 agosto 1950	Nasce Anna, secondogenita di Elisabetta
6 febbraio 1952	Muore a 56 anni Giorgio VI, Elisabetta diventa regina
2 giugno 1953	Pur essendo già regina da più di un anno, Elisabetta viene formalmente incoronata con una cerimonia a Westminster Abbey
19 febbraio 1960	Nasce Andrea, terzo figlio della regina
10 marzo 1964	Nasce Edoardo, quarto figlio della regina
1977	La regina celebra il Giubileo d'Argento, venticinque anni di regno
1986	La regina compie 60 anni
1992	Si separano tre figli della regina, Carlo, Anna e Andrea, un incendio brucia parte del castello di Windsor: Elisabetta dice che è il suo *annus horribilis*

31 agosto 1997	La principessa Diana muore in un incidente d'auto a Parigi
9 febbraio 2002	Muore Margaret, la sorella minore della regina
30 marzo 2002	Muore a 101 anni la madre della regina.
2 giugno 2002	La regina celebra il Giubileo d'Oro, cinquant'anni sul trono
9 aprile 2005	Carlo si risposa con Camilla
21 aprile 2006	La regina compie 80 anni
29 aprile 2011	William sposa Kate Middleton
2 giugno 2012	La regina celebra il Giubileo di Diamante, sessant'anni sul trono, e poco più tardi inaugura le Olimpiadi di Londra
9 settembre 2015	Elisabetta diventa la regina più longeva della storia britannica, è sul trono da 23.226 giorni, 16 ore e 30 minuti, superando il record precedente della regina Vittoria
21 aprile 2016	La regina compie 90 anni
19 maggio 2018	Harry sposa Meghan Markle
2021	Muore il principe Filippo, Harry e Meghan decidono di andare a vivere in California, il principe Andrea paga 12 milioni di sterline di indennizzo per risolvere in modo extragiudiziario la causa per abusi sessuali su una minorenne, in relazione allo scandalo del miliardario Jeffrey Epstein: è il nuovo *annus horribilis* della regina
2 giugno 2022	La regina celebra il Giubileo di Platino, settant'anni sul trono
8 settembre 2022	Elisabetta II muore a 96 anni di età